DEMOCRACIA Y PLURALISMO NACIONAL

Ariel Ciencia Política

Ferran Requejo

DEMOCRACIA
Y PLURALISMO NACIONAL

Ariel

Diseño de la cubierta: area3

Título original:
Democracy and National Pluralism

Traducción de:
Josep Costa (caps. 1 y 5),
Mike Gates (caps. 2 y 4)
y Jaume López y David Sánchez (cap. 7)

1.ª edición: junio 2002

© 2002: Ferran Requejo
© 2001: Routledge

Derechos exclusivos de edición en español
reservados para todo el mundo
y propiedad de las traducciones:
© 2002: Editorial Ariel, S. A.
Provença, 260 - 08008 Barcelona

ISBN: 84-344-1822-3

Depósito legal: B. 22.649 - 2002

Impreso en España

2002 – Talleres Hurope, S. L.
Lima, 3 bis - 08030 Barcelona

A todos nuestros estudiantes de doctorado

ÍNDICE

PARTE II

PLURALISMO NACIONAL E INSTITUCIONES DEMOCRÁTICAS

PARTE III

EL PLURALISMO NACIONAL Y LA UNIÓN EUROPEA

PARTE IV

PLURALISMO, DEMOCRACIA Y TEORÍA POLÍTICA

LOS COLABORADORES

Ferran Requejo, catedrático de Ciencia Política en la *Universitat Pompeu Fabra*, Barcelona, Cataluña, España.

Will Kymlicka, catedrático de Filosofía en la *Queen's University*, Kingston, Ontario, Canadá.

Michael Keating, catedrático de Ciencia Política en la *University of Aberdeen*, Escocia, Reino Unido.

Enric Fossas, profesor de Derecho Constitucional en la *Universitat Autònoma de Barcelona*, Cataluña, España.

Wayne Norman, catedrático de *Business Ethics* en el *Centre for Applied Ethics at the University of British Columbia*, Vancouver, Canadá.

Carlos Closa, profesor de Ciencia Política en la *Universidad de Zaragoza*, España.

Ricard Zapata, profesor de Ciencia Política en la *Universitat Pompeu Fabra*, Barcelona, Cataluña, España.

INTRODUCCIÓN

«ES TAN TARDE QUE PODEMOS DECIR QUE ES TEMPRANO»

FERRAN REQUEJO

En una escena nocturna, al ver que la luz del amanecer ya invade la habitación en la que se encuentra, uno de los personajes del *Romeo y Julieta* de Shakespeare, exclama: «it is so very late that we may call it early by and by» —es tan tarde que podemos decir que es temprano—.[1] Algo similar puede decirse de la situación actual de las democracias liberales. Su buena salud teórica y su innegable éxito práctico durante los dos últimos siglos no ocultan, sin embargo, algunos de sus límites conceptuales e institucionales cuando aparecen «nuevas luces» en el paisaje político de principios del siglo XXI.

El liberalismo democrático se ha convertido en la tradición más sólida en el plano teórico, y la más deseable en el plano práctico, entre las diversas concepciones y sistemas políticos contemporáneos. Por una parte, se trata de una tradición variada, plural, repleta de nombres con un reconocido prestigio intelectual —Locke, Madison, Jefferson, Kant, Tocqueville, Mill, Weber, Berlin, Rawls—, cuyos valores y principios legitimadores han demostrado tener una vocación aplicada bastante mayor que las concepciones políticas alternativas. Por otra parte, se trata de una tradición práctica y constitucional que en la actualidad no tiene rivales dentro de los sistemas políticos comparados. Hasta el punto que cuestiones como la protección y garantía de derechos y libertades, la existencia de elecciones competitivas y de un pluralismo político efectivo, la concreción de los principios de constitucionalidad y legalidad, la separación y la división de poderes, o la articulación de una economía de mercado con algún grado de intervencionismo público han llegado a convertirse en *metavalores* aceptados en las sociedades occidentales.

Sin embargo, esta solidez intelectual y constitucional, así como la ausencia de sistemas políticos rivales, no significa, obviamente, que las democracias liberales puedan considerarse, sin más, sistemas «justos», que

---

1. *Romeo y Julieta*, acto 3, escena 4.

no posean lados oscuros contrarios a la emancipación humana, que estén situadas en algún capítulo del «final de la historia», o que puedan hacer frente con su bagaje organizativo y legitimador tradicional a los nuevos fenómenos de las sociedades contemporáneas. Éste el caso, por ejemplo, de la globalización, el pluralismo cultural o las nuevas relaciones internacionales. Frente a dichos fenómenos, el lenguaje, las instituciones, o incluso la interpretación habitual de los valores liberales y democráticos fundamentales —libertad, igualdad, pluralismo o dignidad— parece requerir una revisión teórica y, sobre todo, una serie de reformas prácticas y constitucionales que permitan una mejora moral, además de una mayor adaptabilidad a las condiciones políticas, culturales y tecnológicas de este nuevo siglo.

El primer elemento central de este libro es, precisamente, la revisión de la teoría del liberalismo democrático desde la perspectiva de uno de los fenómenos principales del pluralismo cultural: el pluralismo nacional existente en algunas democracias (democracias plurinacionales). La obra se enmarca en el debate teórico, desarrollado sobre todo en la última década, sobre qué significa una democracia liberal en sociedades en las que conviven diversas colectividades nacionales de carácter histórico y territorial. Las democracias empíricas no han sido neutras en relación a su pluralismo cultural. Y resulta cada vez más difícil argumentar que el reconocimiento de derechos culturales a las minorías es algo inherentemente discriminador y arbitrario. Así, hoy son cada vez menos los teóricos liberales que siguen defendiendo el carácter neutral de las instituciones liberal-democráticas en el ámbito cultural, y también menos los que se oponen a una regulación de ciertos derechos culturales, incluidos los derechos de las minorías nacionales a su reconocimiento constitucional y a su autogobierno. Esta discusión ha ido clarificando, además, algunas de las dificultades intelectuales que muestra el liberalismo democrático tradicional en el momento de afrontar nuevas formas de pluralismo. Estas dificultades están relacionadas, cuando menos en parte, con dos actitudes teóricas de dicho liberalismo. En primer lugar, con la tendencia de este último a emplear categorías muy abstractas de carácter legitimador —derechos individuales, ciudadanía, igualdad, soberanía popular, etc.—, que muchas veces propician una interpretación homogeneizadora de dichas categorías, además de dificultar la consideración de sus pluralidades internas. En segundo lugar, con la selección de determinadas «preguntas de investigación» que lleva a no considerar problemáticos toda una serie de implícitos culturales —de carácter lingüístico, histórico, de cultura política, etc.— vinculados a los grupos «nacionales» mayoritarios o hegemónicos. Las identidades culturales constituyen el tercer elemento, junto a los intereses y valores, de la legitimidad democrática, además de ser un elemento central de la dignidad individual de los ciudadanos. Un aspecto normalmente muy desconsiderado en las concepciones liberal-democráticas tradicionales.

En la actualidad, vamos siendo más conscientes de los particularismos culturales agazapados detrás del pretendido carácter neutral y universal de los conceptos y discursos de las teorías democráticas. Y devenimos también más conscientes de las relaciones de poder que operan en el ámbito cultural, las cuales se suman a las relacionadas con la clase social y el género, por citar sólo otros dos tipos de relaciones de poder. Parece claro que el clásico agnosticismo liberal practicado respecto a la religión no puede extrapolarse a cuestiones como las políticas lingüísticas, los currícula educativos o la autopercepción «nacional» de los colectivos democráticos. Unos colectivos que en este nuevo siglo estarán presididos por crecientes procesos de globalización y de pluralismo cultural internos.

El segundo elemento central de este volumen es el reconocimiento y acomodación práctica o constitucional del pluralismo nacional en las democracias liberales. De todos los retos de las democracias actuales, los relacionados con el pluralismo nacional continúan presentando dificultades tanto en el plano conceptual como en el plano institucional. Ello ocurre cuando la legitimidad de un estado determinado es puesta en cuestión o, de un modo más moderado, cuando distintas colectividades nacionales expresan su deseo de ser reconocidas constitucionalmente como tales y de ejercer su propio autogobierno nacional dentro de la misma democracia. Es el caso de democracias como Bélgica, Canadá, España, India, el Reino Unido y, en otro nivel, del desarrollo futuro de la Unión Europea.

De hecho, en el contexto occidental, hablar hoy de nacionalismos (mayoritarios y minoritarios) es hablar de democracia. Es decir, hablar de nacionalismos es hablar de la articulación de derechos individuales y colectivos, de instituciones y de procesos de decisión en distintos ámbitos geográficos —regionales, estatales y supraestatales—, de la acomodación de los distintos símbolos nacionales, de federalismo y de división de poderes, y de la legitimidad o no de regular procesos de secesión dentro de las reglas de juego liberal-democráticas. Sin embargo, y tal como ocurre con el liberalismo político, hoy, naciones democráticas minoritarias, como Quebec, Escocia, Flandes o Cataluña, y sus interrelaciones con las democracias plurinacionales en las que se ubican —Canadá, el Reino Unido, Bélgica, España y, en el futuro, la UE— no pueden tampoco pensarse adecuadamente desde las premisas y categorías de los nacionalismos decimonónicos. Dichos nacionalismos, ya sean en sus variantes estatales o no estatales, solían mantener en sus presupuestos normativos unas relaciones ambiguas o externas con los principios liberales y democráticos. Una situación que contrasta con el carácter inequívocamente liberal-democrático actual de los nacionalismos mayoritarios y minoritarios de las entidades políticas mencionadas. La idea de una democracia nacionalmente uniforme, basada en la idea republicana de una unidad política homogénea y soberana, no resulta ya adecuada en contextos plurinacionales y globalizados. Y ello plantea diferencias en el análisis descriptivo y normativo de, por ejemplo, los valores, las identidades, los intereses, las instituciones, los procesos de decisión, el parlamentarismo, el federalismo, la ciudadanía o los autogobiernos, según se trate de democracias uninacionales o plurinacionales.

Una conclusión general es que en las teorías liberales y democráticas clásicas no se ha analizado suficientemente qué significa la concreción de valores «universales» en unos estados que son siempre particulares. Otra conclusión es que en estas teorías se ha marginado también la relación entre los procesos de «construcción nacional» (nation-building) realizados o reclamados por los distintos tipos de nacionalismo y la normatividad liberal-democrática. Parecía asumirse que sólo puede haber un *demos nacional* por democracia. Sea ello para negar la conveniencia de establecer una relación entre particularismos nacionales desde un plano de igualdad, sea por el contrario para justificar unos procesos de secesión o de unificación que establezcan tantas democracias como *demoi* nacionales existan. Es sorprendente, por ejemplo, cómo las principales teorías políticas de la democracia liberal, incluso buena parte de las intelectualmente más sólidas y refinadas, como las de J. Rawls y J. Habermas, resultan tan deficientes en el momento de considerar el pluralismo nacional. Se trata de una cuestión que muchas veces, más que mal resuelta, no se halla ni siquiera planteada en las premisas, conceptos o preguntas normativas de estas teorías. Y ello a pesar de que, en la práctica, todas las democracias liberales han actuado como agencias nacionalizadoras de particularismos culturales específicos. De esta manera, una propuesta de este libro es la de mostrar la conveniencia de sustituir esta concepción «monista» del *demos* democrático por una concepción más «pluralista» del mismo cuando nos enfrentamos a democracias plurinacionales.

La relación entre los dos elementos principales de este libro —la revisión del liberalismo democrático y la acomodación política práctica de las democracias plurinacionales— sugiere que los retos que suponen dichos elementos en el ámbito de los derechos, de los símbolos, de las instituciones, de las competencias, de la política europea e internacional, etc, reclama una reinterpretación de la misma normatividad liberal-democrática. Dicha reinterpretación no debe ser entendida como una *confrontación externa* entre el «liberalismo democrático», por un lado, y el «nacionalismo», por otro, sino como el camino para proceder a una *acomodación interna*, en términos liberal-democráticos, de distintas colectividades nacionales en una misma *polity* democrática. Se mantiene, además, que la implementación práctica, constitucional, de esta acomodación no queda garantizada sólo a partir de la regulación de los derechos civiles, políticos y sociales de ciudadanía, la cual se ha concretado frecuentemente de forma sesgada en términos culturales a favor de los grupos nacionales hegemónicos.

Así, la cuestión clave planteada en este volumen es la de la *calidad* ética e institucional de las democracias plurinacionales en unos contextos políticos, económicos, tecnológicos y culturales crecientemente globalizados. Se trata de unas democracias con identidades nacionales complejas que plantean cuestiones de legitimidad distintas a las existentes en democracias uninacionales. En estos contextos, lo que está en juego es una «mejor» interpretación y una «mejor» institucionalización de los valores liberal-democráticos de libertad, igualdad, pluralismo y dignidad. Se trata, en definitiva, de proceder a una revisión teórica y a unas reformas prácticas y constitucionales que generen un aumento de la calidad de nuestras democracias en el ámbito de los derechos, de las instituciones, de la división de poderes, o de los procesos de toma de decisiones. O, en otras palabras, una revisión y unas reformas que tiendan a minimizar el riesgo y los sesgos asociados a que, para decirlo también con Shakespeare, «Our thoughts are ours, their ends none of our own» — nuestros pensamientos son nuestros, las consecuencias de nuestros pensamientos siempre van por su cuenta.[2]

Las colaboraciones de este volumen

En el capítulo titulado «El nuevo debate sobre los derechos de las minorías», Will Kymlicka analiza la evolución de la discusión sobre estos derechos desde los años ochenta hasta la actualidad. Kymlicka incluye cuatro fases en esta evolución. La primera se ubicó en el debate más general entre liberales y comunitaristas. Los primeros insistían en la prioridad de la libertad individual sobre cualquier otro tipo de consideraciones, mientras que los segundos insistían en la defensa de los derechos de las minorías a partir de sus críticas a los límites «individualistas» de la teoría liberal. Por el contrario, en la segunda fase, el debate sobre dichos derechos es ya un debate entre liberales. El autor apunta que en la fase anterior, el debate resultó ser deficiente por dos razones: malinterpretaba tanto la naturaleza de las minorías culturales como la del mismo liberalismo. Aunque existen excepciones, la mayor parte de las minorías (inmigrantes, naciones sin estado, y otras) no desea protegerse de la modernidad, sino ser reconocidas y participar en ella en términos igualitarios. Ahora la defensa de los derechos de las minorías se hace en términos de la teoría liberal misma, reivindicándose una revisión de las nociones de libertad y de igualdad en relación a las identidades culturales. Dichas nociones se han entendido normalmente desde las premisas de las sociedades más homogéneas de los siglos XVIII y XIX. Aquí es donde cabe situar la conocida distinción del autor entre las «protecciones externas» y las «restricciones internas». En la tercera fase, se analizan los derechos de las minorías desde una perspectiva distinta: como respuesta a los procesos de *nation-building* desarrollados por todos los estados. Es en esta fase cuando más se critica la pretendida neutralidad cultural de los principios que regulan la esfera pública de las democracias. Dicha neutralidad se revela falsa, tanto en términos históricos como conceptuales. En todas las democracias se dan procesos de *nation-building*. Estos procesos están en ocasiones guiados por una serie de objetivos perfectamente legítimos (la educación, la eficiencia económica, los servicios de bienestar) que incluyen una integra-

---

2. *Hamlet*, acto 3, escena 2.

ción implícita en una «cultura societal». Aquí el debate se centra en la naturaleza liberal o no liberal de los procesos de *nation-building*, e implica dos cuestiones básicas: la necesidad de establecer una teoría sobre un *nation-building* aceptable desde premisas liberales tanto para las naciones mayoritarias como minoritarias, y la regulación de formas más justas de integración política para los inmigrantes desde la perspectiva de la identidad cultural. Finalmente, el autor especula sobre el inicio de una posible cuarta fase, en la que el debate no gire ya en torno a la «justicia» de los derechos de las minorías sino en relación a la noción de «ciudadanía» democrática. Las posiciones contrarias a la regulación de este tipo de derechos ya no cuestionarían ahora su carácter injusto, sino su posible conflicto con los valores cívicos y con la estabilidad de las democracias. Unas posiciones a las que Kymlicka critica su nulo soporte empírico.

Los actuales procesos de *nation-building* llevados a cabo por las «naciones sin estado» es el tema del capítulo de Michael Keating, «Naciones sin estado: nacionalismo minoritario en una era global». Tres transformaciones de los estados actuales presidirían dichos procesos: la construcción de marcos supraestatales como la Unión Europea o el Acuerdo Norteamericano sobre Libre Comercio (NAFTA); los procesos de desregulación y de privatización del sector público; y la emergencia de entidades subestatales como actores políticos diferenciados. A pesar de que los estados retienen la mayor parte de sus funciones, aquellas tres transformaciones comportan una creciente interdependencia entre ellos, así como una erosión de su legitimidad. En este nuevo contexto, las naciones minoritarias deben resituar sus propios procesos de *nation-building*. Keating analiza en primer lugar la cuestión de la identidad colectiva. La modernización de los nacionalismos está relacionada con su habilidad para conectar el pasado con el futuro a través de identidades más culturales que de carácter étnico. Así, las políticas lingüísticas, por ejemplo, que constituyen normalmente un elemento central en los procesos de *nation-building*, no se establecen con el fin de conseguir un único código cultural (como sí hicieron los estados durante el siglo XIX), sino para consolidar la identidad nacional en un contexto presidido por prácticas bilingües y de identidades múltiples. Cataluña y Escocia muestran un alto nivel de coexistencia, mientras que Gales y el País Vasco son sociedades más divididas. Quebec ocupa una posición intermedia entre las dos anteriores. En segundo lugar, las distintas opciones constitucionales en el momento de ejercer el derecho al autogobierno —la independencia, la soberanía, la confederación, el federalismo plurinacional, etc.— muestran una indecisión que refleja una incertidumbre sobre el significado de la independencia y del autogobierno en el mundo actual. Las respuestas de la población sobre la independencia depende de cómo se formula la pregunta. En tercer lugar, la Unión Europea representa tanto una oportunidad para la autonomía funcional de las naciones europeas sin estado como una nueva área de proyección simbólica. Finalmente, el autor señala la importancia de los sistemas territoriales de producción, así como de los procesos de institucionalización a través de regulaciones asimétricas para la consolidación de las naciones sin estado como algo más que meras regiones. Las técnicas de descentralización no resultan suficientes para una acomodación política que reconozca las múltiples identidades nacionales que existen en algunos estados, si bien, marcos como la Unión Europea ofrecen mayores posibilidades de establecer procesos que combinen elementos de cooperación y de competencia.

En el siguiente capítulo, «Pluralismo nacional e igualdad», Enric Fossas estudia una de las soluciones constitucionales mencionadas en el capítulo anterior, el federalismo plurinacional. El análisis gira en torno a las relaciones entre federalismo e igualdad, una cuestión siempre presente en los debates políticos y académicos, especialmente en federaciones plurinacionales. Tras establecer una serie de distinciones analíticas, el autor discute la igualdad política a través de sus tres significados clásicos en este tipo de federaciones: la igualdad entre las unidades constituyentes o fundadoras de la federación; la igualdad entre las unidades federadas; y la igualdad entre los ciudadanos de la federación. En primer lugar, la evolución de las sociedades plurinacionales y del federalismo revelan los límites de este último como marcos para una acomodación política de las primeras. Existen procesos vinculados al desarrollo de los estados contemporáneos que trabajan en contra de la igualdad entre los grupos fundadores de la federación. Entre dichos procesos se encuentran la democratización (y la igualdad política), el intervensionismo estatal y, de nuevo, los procesos de *nation-building*. En segundo lugar, la discusión sobre la igualdad entre las unidades federadas presenta a menudo, en el caso de las federaciones plurinacionales, un conflicto entre dos concepciones incompatibles del federalismo. Por un lado, aquellas que defienden los acuerdos federales como una vía de expresión para las distintas identidades y para el autogobierno de los grupos nacionales que coexisten en la federación. En este caso, se defiende la conveniencia de introducir mecanismos asimétricos cuando la sociedad en cuestión presenta asimetrías en las identidades nacionales del *demos*. Por otro lado, se da la concepción que entiende el federalismo como una técnica de descentralización del poder, cuyo objetivo es el desarrollo de la democracia y de la eficiencia general de todo el sistema. El conflicto entre estas dos concepciones está presente en el debate sobre el federalismo en Bélgica, Canadá y España. Según cual sea la perspectiva adoptada, la percepción sobre las «desigualdades» será muy distinta, incluso contrapuesta. En el núcleo del debate se da una tensión entre entender la colectividad política como una única realidad, aunque plural, o entenderla como una pluralidad de colectividades políticas (o de *demoi*). El contraste entre estas dos concepciones queda reflejado en unos procesos competitivos de *nation-buiding* en el que el nacionalismo estatal (federal) ha sido siempre beligerante. Finalmente, Fossas analiza la igualdad de ciudadanía, un concepto que también muestra una tensión con el federalismo. El proceso de universalización de los derechos ha tendido hacia una estandarización entre los ciudadanos de las federaciones, si bien en menor medida que en los estados no federales. Algo que no está, por otra parte, relacionado con una mayor centralización. Desde la perspectiva de las naciones minoritarias, la crítica fundamental a aquel proceso es que detrás del universalismo como estrategia legitimadora de las democracias se encuentran los valores culturales de las mayorías. Pero la conclusión del autor es que no es aceptable el argumento de la igualdad de ciudadanía para impedir la regulación de asimetrías constitucionales. Siguiendo la línea argumentativa señalada por Jeremy Weber hace algunos años, Fossas señala que la asimetría no significa que los ciudadanos de una unidad federada tengan más poder que los de otras unidades, sino que simplemente indica dónde este poder es ejercido. En otras palabras, la asimetría indica que la división territorial de poderes se establece de forma diferenciada en algunas unidades que en otras. La acomodación política y constitucional de las realidades plurinacionales reclama tanto una revisión de las asunciones normativas del estado-nación y del federalismo, como de la misma idea de igualdad.

En el capítulo de Wayne Norman, «Secesión y democracia (constitucional)», se analiza un aspecto de esta revisión de los estados democráticos señalada en el capítulo anterior: la legitimidad o no de la secesión en el caso de las sociedades plurinacionales, y la conveniencia de su inclusión en los mecanismos constitucionales. Después de mostrarse crítico con la usual asociación directa que establecen algunos sectores nacionalistas entre la autodeterminación y la secesión, Norman rebate la idea, argumentada por Cass Sunstein, de que la introducción de la secesión en las reglas del juego constitucionales produce distorsiones en el proceso democrático. El punto crucial es si el secesionismo se incrementará o no con dicha introducción, una cuestión cuya respuesta es de difícil generalización, y que merece ser analizada caso por caso. Una regulación «justa» de la secesión debe combinar la voluntad de la subunidad del estado con una serie de cláusulas restrictivas, más allá del 50 %, que desaconseje su uso «táctico» por parte de las organizaciones nacionalistas o los líderes de los grupos minoritarios. De hecho, nos dice el autor, todas las constituciones federales permiten cambios en la división de poderes. La secesión puede ser vista como el extremo lógico de una serie de características que ya existen en las federaciones democráticas. Si no fuera empleada, representaría una legitimación del estado como una entidad unida no por la fuerza, sino por el consenso. Muchos estados no se han formado de manera voluntaria. La inclusión de un procedimiento constitucional no comportaría, además, una ruptura con el estado de derecho. Norman establece aquí una analogía con el divorcio: puede regularse de forma que sea «difícil», pero resulta inaceptable que el grado de dificultad sea decidido sólo por la parte más fuerte. Un ejemplo de ello es la decisión de la Corte Suprema Canadiense (octubre 1998), que estableció una cláusula de secesión en la constitución, aunque incompleta y necesitada de un desarrollo por parte de los actores políticos. La democracia liberal canadiense, apunta dicha decisión, no está basada sólo en el principio de mayoría sino en cuatro principios distintos: el federalismo, la democracia, el estado de derecho y el respeto de las minorías. La Corte consideró que la secesión unilateral vulneraba estos cuatro principios, pero al mismo tiempo establece la legitimidad del proceso bajo determinadas condiciones. La conclusión del autor es que la inclusión de una regulación constitucional de la secesión es no sólo compatible con el federalismo democrático, sino que constituye uno de sus requisitos básicos en contextos de pluralismo nacional.

Las dos siguientes contribuciones están centradas en la noción de «ciudadanía democrática» dentro de una Unión Europea que es una realidad a la vez plurinacional y multicultural. Carlos Closa, en «Pluralidad nacional y unidad de ciudadanía en la UE», adopta la perspectiva de la globalización en un contexto «post-nacional» que hace que las nociones de ciudadanía y de nacionalidad ya no coincidan. Mientras que la globalización introduce un cierto grado de relativismo en las bases legitimadoras del estado-nación, la Unión Europea se ve obligada a superar sus inicios funcionalistas —como solución al problema de la relación entre estados— para avanzar hacia una institucionalización más «política». En este contexto, que en la actualidad se halla aún en su etapa inicial, la noción de *ciudadanía europea*, regulada en los tratados de Maastricht y Amsterdam, sólo puede entenderse como una noción que va más allá de los marcos legales y políticos de los estados miembros. De lo que se trata es de ver si dicha noción permite el establecimiento de garantías para los derechos de las naciones minoritarias dentro de la Unión. Una cuestión todavía incierta debido al sesgo estatalista de todo el proceso de construcción política europea. Closa analiza los aspectos metodológicos implicados en la ciudadanía europea. En este sentido, sugiere una combinación de las estrategias inductiva y deductiva de ciudadanía: la primera permite la construcción de un mapa sobre las cuestiones incluidas en aquella noción, mientras que la segunda ofrece una serie de criterios morales que permiten contrastar la validez de las soluciones propuestas. Además, el autor defiende la legitimidad del establecimiento de unas garantías para los derechos de las minorías dentro del marco institucional de la UE. Estas garantías no están actualmente desarrolladas y resulta completamente incierto que puedan establecerse a través de la denominada «Europa de las regiones». El desarrollo institucional europeo puede seguir mostrando, en el futuro próximo, un sesgo estatalista que actúe en contra de los derechos de las naciones minoritarias, tales como Escocia, Flandes o Cataluña, a ser políticamente reconocidas e institucionalmente protegidas. Y aunque de una forma distinta, ello afecta también al caso de las poblaciones inmigradas en los países de la UE, que es la cuestión analizada en el capítulo siguiente.

En «Los límites de una Europa multicultural: democracia e inmigración en la UE», Ricard Zapata centra su atención en el caso de las políticas de inmigración y en la acomodación de las poblaciones inmigradas desde una perspectiva normativa. El autor también parte de la desvinculación entre las nociones de ciudadanía y de nacionalidad. A partir del enfoque de las «esferas de justicia» del filósofo americano Michael Walzer, se analizan los distintos papeles que juega la igualdad en el caso de los inmigrantes en dos situaciones distintas: cuando adquieren la ciudadanía y cuando ejercen dicho status. Zapata establece, además, tres modelos para una acomodación política de la inmigración: el modelo asimilacionista, el integrador y el autónomo. Cada uno de estos modelos representa versiones distintas de la justicia de la esfera pública democrática. El capítulo ofrece una concreción de su análisis a partir de la UE y de las leyes españolas de extranjería, tomando como punto de arranque el concepto de euro-extranjero, el cual ya no toma en consideración la nacionalidad original de los inmigrantes.

Finalmente, en el capítulo eminentemente teórico que cierra la obra, Ferran Requejo analiza dos aspectos de la legitimidad democrática en contextos plurinacionales, y una propuesta de carácter filosófico sobre dicha legitimidad. En primer lugar, el autor estudia los componentes lingüísticos de las teorías legitimadoras liberal-democráticas actuales. El pluralismo normativo de la legitimidad queda asociado a un conjunto de concepciones —liberales, democráticas, socialistas, conservadoras, multiculturales, etc.—, así como a interpretaciones particulares de los valores pretendidamente universales, como la libertad, la igualdad, el pluralismo, etc. De esta manera, el mismo pluralismo normativo que impide la construcción de una única teoría liberal-democrática coherente y comprehensiva se vincula al pluralismo lingüístico de las diversas tradiciones que intervienen en los procesos prácticos de legitimación en las democracias. Ambos pluralismos, así como sus concepciones asociadas de «justicia», devienen más complejos en el caso de democracias plurinacionales. En segundo lugar, el autor establece un análisis de los valores *universales* y *particulares* presentes en todos los procesos de legitimación, distinguiéndolos del carácter *parcial* o *imparcial* en su aplicación, esto es, cuando van dirigidos a toda la población o solamente a unos grupos específicos dentro de ella. Finalmente, Requejo ofrece un planteamiento de la legitimidad política en contextos de pluralismo nacional a partir de las «ideas regulativas» y de la noción de libertad de la filosofía kantiana. El objetivo de dicho planteamiento es el de superar los sesgos estatalistas del liberalismo democrático tradicional, así como el de ofrecer un liberalismo más refinado y más acorde con la mayor complejidad de las sociedades contemporáneas de este inicio de siglo.

En definitiva, las contribuciones incluidas en este volumen analizan buena parte de las cuestiones que son protagonistas en la revisión conceptual e institucional de las democracias liberales en contextos plurinacionales actuales: la igualdad política y la ciudadanía, la neutralidad cultural de los estados democráticos, los nacionalismos en la era de la globalización, las dimensiones colectivas de los derechos individuales y las dimensiones individuales de los derechos de grupo, la adaptación del federalismo a un mundo mucho más complejo que el que existía cuando fue creado, así como la acomodación política de distintas colectividades nacionales en entidades supraestatales democráticas como la Unión Europea.

Parte I

LOS DERECHOS DE LAS MINORÍAS Y LA GLOBALIZACIÓN EN LAS DEMOCRACIAS PLURINACIONALES

CAPÍTULO 1

EL NUEVO DEBATE SOBRE LOS DERECHOS DE LAS MINORÍAS

WILL KYMLICKA

En los últimos diez años hemos asistido a un extraordinario incremento del interés de la filosofía política por los derechos de los grupos etnoculturales en las democracias occidentales.[1] Mi objetivo en este capítulo es ofrecer una breve panorámica general del debate filosófico hasta el presente, y sugerir algunas direcciones que éste podría tomar en el futuro.

Los filósofos políticos están interesados en las cuestiones normativas suscitadas por los derechos de las minorías. ¿Cuáles son los argumentos morales a favor y en contra de estos derechos? En concreto, ¿cuál es su relación con los principios básicos de la democracia liberal, como la libertad individual, la igualdad social y la democracia? ¿Son los derechos de las minorías compatibles con estos principios?, ¿promueven estos valores? o ¿entran en conflicto con ellos?

El debate filosófico sobre estas cuestiones ha cambiado sustancialmente, tanto en su alcance como en su terminología. Antes de 1989, había muy pocos filósofos o teóricos políticos que trabajaran en este ámbito.[2] De hecho, durante la mayor parte del siglo XX, las cuestiones sobre la etnicidad han sido tratadas de modo bastante marginal por los filósofos de la

---

1. Utilizo el término «derechos de las minorías etnoculturales» (o, en pro de la brevedad, «derechos de las minorías») en un sentido amplio, para referirme al abanico de políticas públicas, derechos, exenciones legales y disposiciones constitucionales que van desde las políticas de multiculturalismo al federalismo multinacional, los derechos lingüísticos y la protección constitucional de los tratados con los aborígenes. Se trata de fenómenos heterogéneos pero que tienen una característica en común: se encuentran más allá del elenco de derechos civiles y políticos de la ciudadanía protegidos en todas las democracias liberales. Se trata de derechos, además, que se adoptan con la finalidad de reconocer y de acomodar las distintas identidades y necesidades de los grupos etnoculturales. Para una útil tipología, véase Levy, 1997.

2. El más importante fue Vernon Van Dyke, quien publicó unos pocos trabajos sobre este tema en los años setenta y principios de los ochenta (Van Dyke, 1977; 1982; 1985). Hubo también unos pocos filósofos del derecho que discutieron el papel de los derechos de las minorías en el derecho internacional y su conexión con los principios de no discriminación de los Derechos Humanos.

política (y lo mismo puede decirse de otras disciplinas académicas, desde la sociología hasta la geografía y la historia).

En la actualidad, sin embargo, después de décadas de relativo abandono, la cuestión de los derechos de las minorías se encuentra en la vanguardia de la teoría política. Hay varias razones que lo explican. La más obvia es que la caída del comunismo en 1989 desencadenó una ola de nacionalismos étnicos en Europa del Este que ha afectado de forma importante al proceso de democratización. Las optimistas suposiciones según las cuales la democracia liberal surgiría sin problemas de las cenizas del comunismo fueron desautorizadas por cuestiones relacionadas con la etnicidad y el nacionalismo. Pero había muchos factores en el seno de las democracias occidentales consolidadas que también apuntaban a la importancia de la emergencia de la etnicidad: la reacción contra los inmigrantes y los refugiados en muchos países occidentales; el resurgimiento de los pueblos indígenas, que ha conducido al proyecto de Declaración de Derechos de los Pueblos Indígenas en las Naciones Unidas; y el creciente fenómeno actual del nacionalismo minoritario en algunas de las más florecientes democracias occidentales, desde Quebec a Escocia, Flandes o Cataluña.

Todos estos factores, que llegaron a un punto crítico a principios de los años noventa, dejaron claro que las democracias liberales occidentales no habían resuelto ni superado las tensiones planteadas por la diversidad etnocultural. No es sorprendente, por tanto, que la teoría política haya prestado cada vez más atención a esta cuestión. Por ejemplo, en los años noventa aparecieron los primeros libros filosóficos en inglés sobre las cuestiones normativas que plantean cuestiones como la secesión, el nacionalismo, la inmigración, el multiculturalismo, o los derechos de los indígenas.[3]

Pero el debate no ha crecido sólo en magnitud. Los propios términos del debate también han variado de forma significativa. Creo que podemos distinguir cuatro etapas distintas en este debate.

1. Primera etapa: Derechos de las minorías como comunitarismo

La primera etapa fue el debate previo a 1989. Aquellos pocos teóricos que discutían el tema en los años setenta y ochenta asumían que el debate sobre los derechos de las minorías era esencialmente equivalente al debate entre «liberales» y «comunitaristas» (o entre «individualistas» y

---

3.   Baubock, 1994; Buchanan, 1991; Canovan, 1996; Carens, 2000; Gilbert, 1998; Kymlicka, 1995*a*; Kymlicka, 2000; Levy, 2000; Miller, 1995; Parekh, 2000; Phillips, 1995; Spinner, 1994; Tamir, 1993; Taylor, 1992; Tully, 1995; Walzer, 1997; Young, 1990. No conozco libros enteros escritos por filósofos en inglés sobre ninguno de estos temas con anterioridad a 1990. Para colecciones recientes de artículos filosóficos sobre estas cuestiones, véase Kymlicka, 1995*b*; Baker, 1994; McDonald, 1991*a*; van Willigenburg and van der Burg, 1995; Raikka, 1996; McKim y McMahan, 1997; Shapiro y Kymlicka, 1997; Lehning, 1998; Couture *et al.*, 1998; Moore, 1998; Beiner, 1998; Schwartz, 1995; Kymlicka y Norman, 2000.

«colectivistas»). Enfrentados con un tema sin explorar, era natural, y quizás inevitable, que los teóricos políticos buscaran analogías con otros temas más familiares. Y el debate entre liberales y comunitaristas parecía el más relevante.

El debate liberal-comunitarista es antiguo y venerable en el seno de la filosofía política. Arranca de varios siglos atrás, si bien toma formas diferentes. Por tanto, no voy a intentar resumir el debate completo. Simplificando, el debate gira en torno a la prioridad de la libertad individual. Los liberales insisten en que los individuos deben ser libres para decidir su propia concepción de la vida buena, y aplauden la liberación de los individuos de todo estatus asignado o heredado. Los individualistas liberales argumentan que el individuo es moralmente anterior a la comunidad: la comunidad importa sólo porque contribuye al bienestar de los individuos que la componen. Si estos individuos dejan de considerar que vale la pena mantener las prácticas culturales existentes, entonces la comunidad no tiene ningún interés independiente en preservar esas prácticas, ni ningún derecho a impedir que los individuos las modifiquen o rechacen.

Los comunitaristas cuestionan esta concepción del «individuo autónomo». Ellos ven a los individuos como «arraigados», incardinados en roles y relaciones sociales particulares, más que como agentes capaces de formar y revisar su propia concepción de la buena vida. En vez de considerar las prácticas de grupo como el producto de las elecciones individuales, los comunitaristas tienden a ver a los individuos como el producto de las prácticas sociales. Además, a menudo niegan que los intereses de las comunidades puedan ser reducidos a los intereses de sus miembros individuales. Privilegiar la autonomía individual es visto, por tanto, como algo destructivo para las comunidades. Una comunidad saludable mantiene un equilibrio entre la elección individual y la protección de la forma de vida en común y busca, además, limitar la intensidad en que la primera puede erosionar a la segunda.

En esta primera etapa se asumía que la posición en el debate sobre los derechos de las minorías dependía, y era consecuencia, de cuál fuera la posición en el debate liberal-comunitarista. Es decir, si uno es un liberal que valora la autonomía individual, entonces se opondrá a los derechos de las minorías en tanto que supone una desviación innecesaria y peligrosa del correcto énfasis en el individuo. Los comunitaristas, por el contrario, ven los derechos de las minorías tanto como una forma apropiada de proteger a las comunidades de los efectos erosionadores de la autonomía individual, como una vía para afirmar el valor de la comunidad. Las minorías etnoculturales en particular merecen esta protección, en parte porque corren un riesgo mayor, pero también porque tienen una forma de vida en común que proteger. A diferencia de la mayoría, las minorías etnoculturales no han sucumbido aún al individualismo liberal y, por tanto, han mantenido una forma coherente de vida colectiva.

Este debate sobre la prioridad y la reducibilidad de los intereses comunitarios a los intereses individuales dominó la primera literatura sobre derechos de las minorías.[4] Esta interpretación del debate era compartida tanto por los defensores como por los críticos de los derechos de las minorías. Ambas partes estaban de acuerdo en que para evaluar los derechos de las minorías era necesario primero resolver estas cuestiones ontológicas y metafísicas sobre la prioridad relativa de los individuos y los grupos. En pocas palabras, defender los derechos de las minorías suponía asumir la crítica comunitarista del liberalismo, y ver los derechos de las minorías como una protección para grupos minoritarios cohesionados contra la invasión del individualismo liberal.

2. Segunda etapa: Derechos de las minorías en un marco liberal

Es algo cada vez más aceptado que la anterior es una manera poco útil de conceptualizar la mayoría de demandas relativas a derechos de las minorías en las democracias occidentales. Igualar los derechos de las minorías con el comunitarismo pareció sensato en su momento, pero las asunciones sobre el «sorprendente paralelismo entre el ataque comunitarista al liberalismo filosófico y la noción de derechos colectivos» han sido crecientemente cuestionadas (Galenkamp 1993: 20-5). Esta aproximación presenta dos problemas: en primer lugar, malinterpreta la naturaleza de las minorías etnoculturales; y, en segundo lugar, malinterpreta la naturaleza del liberalismo.

En realidad, la mayoría de los grupos etnoculturales de las democracias occidentales no quieren ser protegidos de las fuerzas de la modernidad de las sociedades liberales. Por el contrario, quieren ser participantes plenos e iguales en las sociedades liberales modernas. Esto es cierto para la mayoría de los grupos de inmigrantes, que persiguen la inclusión y participación plena en las sociedades liberal-democráticas, con acceso a su educación, tecnología, alfabetización, comunicación de masas, etc. Ello es igualmente cierto para la mayor parte de las minorías nacionales no inmigradas, como los quebequeses, los flamencos, o los catalanes.[5] Puede que persigan la secesión de una democracia liberal, pero si éste es el caso, no será para crear una sociedad comunitarista no liberal, sino más bien para crear su propia sociedad liberal-democrática moderna. Los quebequeses desean crear una «sociedad distinta», pero es una sociedad moderna y li-

---

4.   Como representantes del campo «individualista», ver Jan Narveson, 1991; Michael Hartney, 1995. Para el campo «comunitarista», ver el trabajo de Vernon Van Dyke (1977, 1982); Ronald Garet (1983); Michael McDonald (1991*a*, 1991*b*); Darlene Johnston (1989); Adeno Addis (1991); Myron Gochnauer (1991), Dimitros Kasinis (1993) todos ellos defensores de los derechos de las minorías desde una perspectiva comunitarista.

5.   Por minorías nacionales entiendo los grupos que constituían sociedades completas y en funcionamiento en su territorio histórico antes de ser incorporados a un Estado mayor. La incorporación de estas minorías nacionales ha sido normalmente involuntaria, debida a la colonización, conquista, o la cesión de territorio de un poder imperial a otro, pero puede también darse voluntariamente, como resultado de la federación.

beral —con una cultura urbana, secular, pluralista, industrializada, burocratizada y consumista.[6]

De hecho, lejos de oponerse a los principios liberales, las encuestas demuestran que no hay diferencias estadísticas entre minorías y mayorías nacionales en su adhesión a los principios liberales.[7] Y los inmigrantes también absorben rápidamente el consenso básico liberal-democrático, incluso cuando provienen de países con poca o ninguna experiencia democrática liberal.

Ciertamente, hay algunas importantes excepciones a esta regla. Por ejemplo, hay unas pocas sectas etnorreligiosas que se distancian voluntariamente del resto del mundo —los Hutterritas, los Amisho, los Judíos Hasídicos—. Y quizás algunas de las comunidades indígenas más aisladas o tradicionalistas encajan en la descripción de grupos «comunitaristas». La cuestión sobre cómo los Estados liberales deberían responder a estos grupos no liberales es algo importante que he discutido en otro lugar (Kymlicka 1995a, cap. 8).

Pero la inmensa mayoría de los debates sobre derechos de las minorías no son debates entre una mayoría liberal y unas minorías comunitaristas, sino debates entre liberales sobre el significado del liberalismo. Son debates entre individuos y grupos que se adhieren al consenso básico liberal-democrático, pero que discrepan sobre la interpretación de estos principios en sociedades multiétnicas —en concreto, discrepan sobre el papel adecuado del lenguaje, la nacionalidad, y las identidades étnicas en el seno de las sociedades y las instituciones liberal-democráticas.

Esto nos lleva al segundo problema del debate previo a 1989 —a saber, la suposición de que los principios liberales son intrínsecamente incompatibles con las demandas de los derechos de las minorías—. Ahora sabemos que las cosas son mucho más complicadas, especialmente en las condiciones modernas del pluralismo etnocultural. Hemos heredado un conjunto de suposiciones sobre qué es lo que los principios liberales exigen, pero estas suposiciones surgieron en los Estados Unidos del siglo XVIII, o la Inglaterra del XIX, donde había muy poca heterogeneidad etnocultural. Prácticamente todos los ciudadanos compartían la misma lengua, descendencia étnica, identidad nacional y fe cristiana. Está cada vez más claro que no podemos quedarnos simplemente con la interpretación del liberalismo desarrollada en esos lugares y tiempos primigenios. Necesitamos juzgar por nosotros mismos qué es lo que el liberalismo requiere bajo nuestras condiciones de pluralismo etnocultural.

Los defensores de los derechos de las minorías insisten en que al menos ciertas formas de reconocimiento público y apoyo a la lengua, las prácticas e identidades de los grupos minoritarios no sólo son consistentes con los principios liberal-democráticos básicos, incluida la importan-

---

6. Sobre el giro hacia un carácter moderno y liberal de los nacionalismos minoritarios en Occidente, ver el capítulo 3 de Michael Keating en este mismo volumen.
7. Véase Kymlicka, 2001, caps. 11-15.

cia de la autonomía individual, sino que pueden, de hecho, ser exigidos por ellos.

En esta segunda etapa la pregunta es: ¿cuál es el posible alcance de los derechos de las minorías en la teoría liberal? Formular el debate de esta manera no resuelve las cuestiones. Al contrario, el lugar de los derechos de las minorías sigue siendo muy controvertido. Pero cambia los términos del debate. La cuestión ya no es cómo proteger a las minorías comunitaristas del liberalismo, sino ¿por qué las minorías que comparten los principios liberales básicos piden no obstante derechos de minoría? Si los grupos son realmente liberales, ¿por qué quieren derechos de minoría? ¿Por qué no están satisfechos con los tradicionales derechos de ciudadanía?

Éste es el tipo de pregunta que Charles Taylor trata de responder en su trabajo sobre la importancia del «reconocimiento» (Taylor, 1992). El filósofo canadiense argumenta que las personas exigen reconocimiento de sus diferencias, no en lugar de la libertad individual, sino más bien como apoyo y precondición de esta libertad. De manera similar, Joseph Raz, David Miller y Yael Tamir han escrito sobre la importancia de la «pertenencia cultural» o de la «identidad nacional» para los ciudadanos modernos interesados en la libertad (Tamir, 1993; Miller, 1995; Margalit y Raz ,1990; Raz, 1994). En cada caso, se argumenta que hay intereses importantes relacionados con la cultura y la identidad que son totalmente compatibles con los principios liberales de libertad e igualdad, y que justifican que se garanticen «derechos especiales» a las minorías.[8]

Sin lugar a dudas podemos imaginar fácilmente algunos tipos de derechos de las minorías que socavarían, más que reforzarían, la autonomía individual. Una tarea crucial a la que se enfrentan los defensores de los derechos de las minorías liberales es distinguir los «malos» derechos de las minorías, que implican una restricción de los derechos individuales, de los «buenos» derechos de las minorías, que pueden entenderse como un complemento de los derechos individuales.

Una manera de establecer esta distinción es considerar dos tipos de derechos que un grupo minoritario puede revindicar: el primer tipo supone el derecho de un grupo contra sus propios miembros; el segundo se refiere al derecho de un grupo contra la sociedad mayoritaria. Ambos tipos de derechos de grupo pueden verse como una protección de la estabilidad de grupos nacionales, étnicos o religiosos. Sin embargo, responden a diferentes causas de inestabilidad. El primer tipo pretende proteger al grupo del impacto desestabilizador que supone la disidencia interna (p. ej., la decisión de miembros individuales de no seguir prácticas o costumbres tradicionales), mientras que el segundo tipo pretende proteger al grupo del impacto de las presiones *externas* (p. ej., las decisiones económicas o políticas de la sociedad mayoritaria). Para distinguir estos dos tipos de

---

8. Sobre este movimiento para reinterpretar el papel de la cultura en la teoría liberal, véase la discusión del «liberalismo 1» y el «liberalismo 2» en el capítulo 8 de Ferran Requejo.

derechos de grupo, podemos llamar a los primeros «restricciones internas», y a los segundos «protecciones externas».

Dado su compromiso con la protección de la autonomía individual, los liberales son muy escépticos frente a la reivindicación de restricciones internas, pero un número cada vez mayor de liberales está dispuesto a dar a las protecciones externas un lugar legítimo en la teoría liberal-democrática. Varias protecciones externas —tales como los derechos lingüísticos, los derechos sobre la tierra, las garantías de representación grupal, las exenciones de usar uniformes reglamentarios y la legislación sobre cierre dominical, etc.— se pueden entender como apoyo, más que como amenaza, de la autonomía de los miembros del grupo, al reducir su vulnerabilidad respecto del poder político o económico de la mayoría. Y si es cierto que las minorías han interiorizado los valores liberales, podríamos esperar que demandaran primeramente este tipo de protecciones externas, antes que buscar el derecho a restringir la libertad de sus propios miembros de cuestionar o revisar prácticas culturales tradicionales. Y creo que esto es lo que vemos que ocurre en la mayoría de las democracias occidentales: las minorías persiguen abrumadoramente protecciones externas, no restricciones internas (Kymlicka, 1998: cap. 4).

En la segunda etapa del debate, por tanto, la cuestión de los derechos de las minorías es reformulada como una cuestión interna de la teoría liberal. El objetivo es demostrar que algunas (pero no todas) de las demandas de derechos de las minorías en realidad promueven los valores liberales. En mi opinión, esta segunda etapa representa un progreso genuino. Ahora tenemos una descripción más rigurosa de las reivindicaciones de los grupos etnoculturales, y una comprensión más precisa de las preguntas normativas que plantean. Hemos superado el debate estéril y desencaminado entre individualismo y colectivismo.

No obstante, pienso que esta segunda etapa también debe ser cuestionada y puesta en tela de juicio. En concreto, aun cuando permite una comprensión más rigurosa de la naturaleza de la mayoría de grupos etnoculturales y de las demandas que formulan al Estado liberal, ofrece una imagen equivocada de la naturaleza del Estado liberal y de las demandas de las minorías.

3. Tercera etapa: Derechos de las minorías como respuesta a los procesos de *nation-building*

Me explico. La suposición —generalmente aceptada tanto por los defensores como por los críticos de los derechos de las minorías— es que el Estado liberal, en su funcionamiento normal, se atiene a un principio de neutralidad etnocultural. Esto es, el Estado es visto como «neutral» con respecto a las identidades etnoculturales de sus ciudadanos, e indiferente a la capacidad de los grupos etnoculturales de reproducirse a través del tiempo. Desde este punto de vista, los Estados liberales tratarían a la cultura de la misma forma que tratan a la religión —es decir, como algo en lo que la gente debería ser libre de dedicarse en su vida privada, pero que no concierne al Estado (mientras se respeten los derechos de los demás)—. De la misma manera que el liberalismo excluye el establecimiento de una religión oficial, tampoco podrá haber culturas oficiales que tengan un estatus preferente (p. ej., Walzer, 1992: 100-1).

Algunos teóricos mantienen incluso que esto es precisamente lo que distingue a las «naciones cívicas» liberales de las «naciones étnicas» iliberales (Pfaff, 1993: 162; Ignatieff, 1993). Las naciones étnicas tomarían la reproducción de una cultura y de una identidad etnonacionales particulares como uno de sus objetivos más importantes. Las naciones cívicas, por el contrario, serían «neutrales» con respecto a las identidades etnoculturales de sus ciudadanos, y definirían la pertenencia nacional puramente en términos de adhesión a ciertos principios de democracia y de justicia. Desde este punto de vista, el hecho de que las minorías pidan derechos especiales representa un abandono radical del funcionamiento tradicional del Estado liberal. Por tanto, la carga de la prueba recaería en cualquiera que deseara apoyar los derechos de las minorías.

Esta carga de la prueba es la que Taylor trata de establecer con su insistencia en la importancia del «reconocimiento». Sin derechos de las minorías, el grupo se siente mal reconocido o simplemente invisible. Y esto es también lo que Raz intenta establecer con su consideración del valor de la «pertenencia» grupal para asegurar el autorrespeto. Ambos intentan mostrar que los derechos de las minorías complementan, más que disminuyen, la libertad individual y la igualdad, al mismo tiempo que ayudan a satisfacer unas necesidades que de otra forma quedarían insatisfechas en un Estado que se aferrase rígidamente a la neutralidad etnocultural.

Así pues, la cuestión es si hay razones concluyentes para apartarse de la norma o presunción de neutralidad etnocultural. Como he mencionado, esta forma de interpretar el debate es compartida en gran parte tanto por los defensores como por los críticos.

Yo argumentaría, sin embargo, que esta idea de que los Estados liberal-democráticos (o «naciones cívicas») son etnoculturalmente neutrales es manifiestamente falsa, tanto históricamente como conceptualmente. Como concepción de la relación entre el Estado liberal-democrático y los grupos etnoculturales, el modelo de la religión es engañoso.

Considérense las políticas de los Estados Unidos, que es considerado el prototipo del Estado «neutral». En primer lugar, es un requisito legal que los niños aprendan la lengua inglesa en las escuelas. En segundo lugar, se exige el mismo requisito a los inmigrantes para adquirir la ciudadanía americana. En tercer lugar, que el solicitante hable inglés es un requisito de facto para conseguir trabajo en o para el gobierno. En cuarto lugar, las decisiones sobre las fronteras de los Estados, así como el momento de su admisión en la federación, fueron tomadas deliberadamente cuando estuvo asegurado que los anglófonos constituían la mayoría dentro de cada uno de los 50 Estados de la federación americana.

Estas decisiones sobre la lengua, la educación, el empleo público, los requisitos de la ciudadanía, y el diseño de las fronteras internas, son extraordinariamente importantes. No son excepciones aisladas a una norma de neutralidad etnocultural. Al contrario, están estrechamente relacionadas entre sí, y juntas han dado forma a la estructura del Estado americano y a la manera en que el Estado estructura la sociedad. (Por ejemplo, los gobiernos representan el 40-50 % del PNB en la mayoría de los países, cosa que hace que la lengua del empleo y de los contratos públicos no sea algo insignificante.)

Todas estas decisiones fueron tomadas con la intención de promover la integración en lo que llamo una «cultura societaria». Por cultura societaria entiendo una cultura territorialmente concentrada, basada en una lengua compartida que es usada en un amplio abanico de instituciones sociales, tanto en la vida pública como privada (escuelas, medios de comunicación, derecho, economía, gobierno, etc.). La denomino societaria para enfatizar que incluye una lengua y unas instituciones sociales comunes, más que unas creencias religiosas, costumbres familiares o estilos de vida compartidos. En una democracia liberal moderna, las culturas societarias son inevitablemente pluralistas, e incluyen a cristianos, musulmanes, judíos y ateos; heterosexuales y gays; profesionales urbanos y campesinos rurales; conservadores y socialistas. Esta diversidad es el resultado inevitable de los derechos y libertades liberales garantizados a los ciudadanos —que incluyen la libertad de conciencia, de asociación, expresión, pluralismo político y el derecho a la privacidad— especialmente cuando se combinan con una población étnicamente diversa.

El gobierno americano ha promovido deliberadamente la integración en una cultura societaria como ésta —esto es, ha incentivado a los ciudadanos a ver sus oportunidades vitales ligadas a la participación en unas instituciones sociales comunes que operan en lengua inglesa—. En este sentido, los Estados Unidos no son un caso único. Promover la integración en una cultura societaria es parte de un proyecto de *nation-building* que todas las democracias liberales han emprendido, aunque, como explico más adelante, algunos países han intentado sostener dos o más culturas societarias.

Obviamente, el sentido en el que los americanos de habla inglesa comparten una «cultura» común es muy delgado (thin), puesto que no excluye diferencias de religión, valores personales, relaciones familiares o estilos de vida. Es más, este uso del término «cultura» contrasta con el modo en que es usado en la mayoría de disciplinas académicas, donde aquélla es definida en un sentido más grueso (thick) o etnográfico, que se refiere al hecho de compartir costumbres específicas, hábitos o ritos. Los ciudadanos de un Estado liberal moderno no comparten una cultura común en sentido grueso o etnográfico. Pero si queremos entender la naturaleza de los procesos modernos de *state-building*, necesitamos una concepción diferente y delgada de cultura, basada en una lengua y en unas instituciones sociales comunes.

Si bien esta clase de cultura común es delgada, está lejos de ser trivial. Al contrario, los intentos de integrar a las personas en esta cultura societaria común han encontrado a menudo una fuerte resistencia. Aunque la integración, en este sentido, deja un gran espacio para la expresión tanto pública como privada de las diferencias individuales y colectivas, algunos grupos han rechazado de forma vehemente la idea de que debieran ver sus oportunidades vitales vinculadas a unas instituciones sociales que se desarrollan en la lengua de la mayoría.

De esta manera, necesitamos sustituir la idea de un Estado «etnoculturalmente neutral» con un nuevo modelo de Estado liberal-democrático —que llamo el modelo del *nation-building*—. Aunque la idea de un Estado culturalmente neutral es un mito, esto no quiere decir que los gobiernos sólo puedan promover una cultura societaria. Es posible que las políticas gubernamentales promuevan dos o más culturas societarias, de hecho, esto es lo que define a Estados multinacionales como Canadá, Suiza, Bélgica o España.

Sin embargo, históricamente, todas las democracias liberales han tratado de difundir una única cultura societaria en todo su territorio, en un momento u otro.[9] Lo cual tampoco debería ser visto puramente como un problema de imperialismo cultural o prejuicio etnocéntrico. Esta clase de *nation-building* permite un número de objetivos importantes y legítimos. Por ejemplo, una economía moderna requiere una mano de obra móvil e instruida. La educación pública estandarizada en una lengua común ha sido considerada a menudo algo esencial para que todos los ciudadanos tengan iguales oportunidades para trabajar en esta economía moderna.

Por otra parte, también la participación en una cultura societaria común se ha visto con frecuencia como algo esencial para generar el tipo de solidaridad requerida por un Estado de bienestar, en tanto que promueve un sentido de identidad y de pertenencia comunes. Además, una lengua común se ha considerado esencial para la democracia —¿cómo puede «el pueblo» gobernarse si los ciudadanos no pueden entenderse entre sí?—. En pocas palabras, promover la integración en una cultura societaria común se ha considerado algo esencial para la igualdad social y la cohesión política en los Estados modernos.

Por supuesto, esta clase de *nation-building* también se puede usar para promover objetivos no liberales. Tal y como lo expresa Margaret Canovan, la nacionalidad es como una «batería» que hace funcionar a los Estados —la existencia de una identidad nacional común motiva y moviliza a los ciudadanos a actuar en pro de objetivos políticos comunes— y estos objetivos pueden ser liberales o iliberales (Canovan, 1996: 80). La «batería» del nacionalismo puede ser usada para promover objetivos liberales

---

9.   Que yo sepa, Suiza es quizás la única excepción: nunca hizo ningún intento serio de presionar a sus minorías francesa e italiana para que se integraran en la mayoría alemana. Todos los demás Estados multinacionales occidentales en un momento u otro hicieron un esfuerzo para asimilar a sus minorías, y sólo a regañadientes abandonaron este objetivo.

(como la justicia social, la democratización, la igualdad de oportunidades, el desarrollo económico) u objetivos no liberales (el chovinismo, la xenofobia, el militarismo y la conquista injusta). El hecho de que la batería del nacionalismo pueda ser usada para tantas cosas nos ayuda a entender el porqué de su ubicuidad. Los reformistas liberales invocan la nacionalidad para movilizar a los ciudadanos hacia proyectos de justicia social (p. ej., una cobertura sanitaria amplia o la escuela pública); los autoritarios invocan la nacionalidad para movilizar a los ciudadanos en favor de ataques contra presuntos enemigos de la nación, ya sean países extranjeros o disidentes internos. Ésta es la razón por la cual el proceso de *nation-building* es común tanto en los regímenes autoritarios occidentales como en las democracias. Considérese la España franquista, o Grecia o Latinoamérica bajo dictadores militares. Los regímenes autoritarios también necesitan una «batería» para ayudar a conseguir objetivos públicos en sociedades modernas complejas. Lo que distingue a los Estados liberales de los no liberales no es la presencia o ausencia del *nation-building*, sino más bien los fines para los que este último se utiliza (Requejo, 1999).

Así, los Estados se han involucrado en estos procesos de *nation-building* —esto es, en procesos de promoción de una lengua común, en un sentido de pertenencia común en las instituciones sociales basadas en esa lengua.[10] Las decisiones sobre las lenguas oficiales, el núcleo del currículo educativo, y los requisitos para adquirir la ciudadanía, todas se tomaron con la intención expresa de difundir una cultura particular a toda la sociedad y de promover una identidad nacional particular basada en la participación en esa cultura societaria.

Si estoy en lo cierto en que este modelo del *nation-building* proporciona una imagen más exacta de la naturaleza de los Estados liberal-democráticos modernos, ¿cómo afecta esto a la cuestión de los derechos de las minorías? Creo que dicho modelo nos da una perspectiva muy diferente sobre el debate. La cuestión no es ya cómo justificar el abandono de una norma de neutralidad, sino más bien esta otra: ¿crean injusticias para las minorías estos esfuerzos de *nation-building* de la mayoría? Y, ¿ayudan los derechos de las minorías a protegerse contra estas injusticias?

Ésta sería la tercera etapa en el debate, que yo estoy intentando promover. No puedo explorar todas sus implicaciones, pero pondré dos ejemplos de cómo este nuevo modelo de Estado liberal puede afectar al debate sobre los derechos de las minorías.

4. Dos ejemplos

¿Cómo afecta el proceso de *nation-building* a las minorías? Tal como apunta Charles Taylor, el proceso de *nation-building* inevitablemente privilegia a los miembros de la cultura mayoritaria:

---

10.   Sobre la ubicuidad de este proceso, véase Gellner, 1983; Anderson, 1983.

«Si una sociedad moderna tiene una lengua "oficial", en el sentido más pleno del término, esto es, una lengua y una cultura respaldadas, inculcadas y definidas por el Estado, en la cual operan tanto la economía como el Estado, entonces ello representa, obviamente, una ventaja inmensa para la gente si esta lengua y cultura son las suyas. Los hablantes de otras lenguas quedan en notable desventaja» (Taylor, 1997: 34).

Esto significa que las culturas minoritarias se enfrentan a una elección. Si todas las instituciones públicas operan en otra lengua, las minorías se enfrentan al peligro de ser marginadas de las principales instituciones económicas, académicas y políticas de la sociedad. Enfrentadas con este dilema, las minorías tienen (simplificando mucho) tres opciones básicas:

i)   Pueden aceptar la integración en la cultura mayoritaria, aunque quizás traten de renegociar los términos de la integración.
ii) Pueden solicitar el tipo de derechos y poderes de autogobierno necesarios para mantener su propia cultura societaria, es decir, para crear sus propias instituciones económicas, políticas y educativas en su propia lengua. Esto es, dedicarse a su *nation-building* alternativo.
iii) Pueden aceptar la marginación permanente.

Podemos encontrar diversos grupos etnoculturales que encajan en cada una de estas opciones (y otros grupos que están situados entre ellas). Por ejemplo, algunos grupos de inmigrantes eligen la marginación permanente. Esto parecería ser cierto, por ejemplo, en el caso de los Hutterritas en Canadá, o de los Amish en los Estados Unidos. Pero la opción de aceptar la marginación sólo es probable que sea atractiva para sectas religiosas cuya teología les exija evitar todo contacto con el mundo moderno. Los Hutterritas y los Amish son indiferentes a su marginación de las universidades o legislaturas, pues ven tales instituciones «mundanas» como corruptas.

Prácticamente todas las otras minorías etnoculturales, sin embargo, quieren participar en el mundo moderno, y para hacerlo deben o bien integrarse o buscar el autogobierno necesario para crear y sostener sus propias instituciones modernas. Enfrentados a esta elección, los grupos etnoculturales han respondido de maneras diferentes.

Minorías nacionales:

Las minorías nacionales normalmente han respondido al *nation-building* de la mayoría adoptando su propio *nation-building* alternativo. Ciertamente, con frecuencia usan los mismos instrumentos que la mayoría usa para promover este *nation-building* —por ejemplo, control sobre la lengua y el currículo de la enseñanza, la lengua del empleo público, los requisitos para la inmigración y la naturalización y el diseño de las fronteras internas.

Una manera de adquirir y ejercer estos poderes de *nation-building* es a través de la federalización del Estado, con el objetivo de crear entidades en las que la minoría nacional forme una mayoría local. El control sobre una unidad federal permite a la minoría nacional tanto resistir el *nation-building* estatal, como adoptar su propio *nation-building* sub-estatal alternativo. Y de hecho hay una tendencia en los Estados multinacionales democráticos a adoptar el federalismo.[11]

Podemos ver esto claramente en el caso del nacionalismo quebequés, que en gran parte se ha preocupado precisamente de conseguir y ejercer estos poderes de *nation-building* en el nivel provincial. Pero ello también es cada vez más cierto en el caso de los pueblos aborígenes de Canadá, que han adoptado el lenguaje de la «nacionalidad», y que han establecido un estatuto quasi-federal o de «federacy» para sus gobiernos tribales. Y la idea de que las relaciones con los aborígenes debería realizarse desde un principio «de nación-a-nación» ha sido afirmada por la reciente Comisión Real sobre los Pueblos Aborígenes de Canadá (RCAP). Tal y como la Comisión apunta, el primer paso para hacer funcionar dicho modelo es que los pueblos aborígenes se dediquen a una gran campaña de *nation-building*, que requiere el ejercicio de competencias de autogobierno mucho más amplias, así como la construcción de nuevas instituciones sociales.[12]

Intuitivamente, la adopción de tales proyectos de *nation-building* minoritarios parece justo. Si la mayoría puede involucrarse legítimamente en un proceso de *nation-building*, ¿por qué no las minorías nacionales, en particular aquellas que han sido incorporadas involuntariamente a un Estado de mayores dimensiones? Sin lugar a dudas, los principios liberales fijan límites sobre cómo los grupos nacionales llevarán a cabo estos procesos. Así, los principios liberales excluirán cualquier intento tanto de limpieza étnica o de desposeer a la gente de su ciudadanía, como de violar los derechos humanos. Estos principios también insistirán en que cualquier grupo nacional que se dedique a un proyecto de *nation-building* debe respetar el derecho de otras naciones a construir y proteger sus propias instituciones nacionales en el ámbito de sus competencias. Por ejemplo, los quebequeses tienen derecho a afirmar sus derechos nacionales vis-à-vis al resto de Canadá, pero sólo si respetan los derechos de los aborígenes de Québec a afirmar sus derechos nacionales vis-à-vis al resto de Quebec.

Estos límites son importantes, pero aún dejan un margen significativo, creo, para formas legítimas de nacionalismo minoritario. Además, es probable que estos límites sean similares tanto para las naciones minoritarias como para las mayoritarias. En igualdad de circunstancias, las minorías nacionales deberían tener a su disposición los mismos instrumen-

---

11. En efecto, Alfred Stepan afirma que «todas y cada una de las democracias particulares de larga duración en una *polity* multilingüe y multinacional de base territorial es un Estado federal» (Stepan, 1999: 19). Sobre la relación entre federalismo y *nation-building*, véase el capítulo 4 de Enric Fossas.

12. Sobre la adopción del lenguaje de la nacionalidad por los pueblos aborígenes, véase Jenson, 1993; Alfred, 1995; RCAP, 1996.

tos de *nation-building* que la nación mayoritaria, y con las mismas limitaciones liberales.

Lo que necesitamos, en otras palabras, es una teoría consistente sobre las formas permisibles de *nation-building* en las democracias liberales. No creo que los teóricos políticos hayan desarrollado todavía esta teoría. Uno de los muchos efectos desafortunados del dominó del modelo de la «neutralidad etnocultural» del Estado liberal es que los teóricos liberales nunca han afrontado explícitamente esta cuestión.

Yo no tengo una teoría sobre las formas de *nation-building* aceptables plenamente desarrollada, y sospecho que ésta va a resultar una cuestión muy controvertida.[13] Aquí mi objetivo no es promover ninguna teoría particular sobre los *nation-building* admisibles, sino, simplemente, insistir en que ésta es la cuestión relevante a abordar. Es decir, la cuestión no es «¿nos han dado las minorías nacionales razones convincentes para abandonar la norma de neutralidad etnocultural?», sino más bien «¿por qué no deberían las minorías nacionales tener los mismos poderes de *nation-building* que la mayoría?». Éste es el contexto en el que el nacionalismo minoritario debe ser evaluado —como respuesta al *nation-building* de la mayoría y utilizando los mismos instrumentos—. La carga de la prueba recae ahora en aquellos que negarían a las minorías nacionales los mismos poderes de *nation-building* que la mayoría nacional da por supuestos (Requejo, 2001).

Inmigrantes:

Históricamente, el *nation-building* no ha sido ni deseable ni factible para los grupos de inmigrantes. Por el contrario, estos últimos han aceptado normalmente la expectativa de que se integrarán en la cultura societaria mayoritaria. De hecho, pocos grupos de inmigrantes han puesto objeciones a aprender una lengua oficial como condición para la ciudadanía, o que sus hijos deban aprender la lengua oficial en la escuela. Han asumido que sus oportunidades vitales, y más aún las oportunidades vitales de sus hijos, estarán vinculadas a la participación en las instituciones dominantes que operan en la lengua de la mayoría.

Sin embargo, los inmigrantes pueden reivindicar unos términos de integración más justos. Por ejemplo, si Canadá va a presionar a los inmigrantes para que se integren en las instituciones comunes que operan en inglés o francés, entonces deberemos asegurarnos que los términos de la integración son justos. En mi opinión, esta demanda tiene dos elementos básicos:

En primer lugar, hemos de reconocer que la integración no ocurre de un día para otro, sino que es un proceso difícil y a largo plazo que opera de modo intergeneracional. Esto significa que con frecuencia se requieren acomodaciones especiales de carácter transitorio para los inmigrantes. Por ejemplo, ciertos servicios deberían estar disponibles en la lengua ma-

---

13.   He dado algunos pasos tentativos hacia el desarrollo de una teoría que nos permitiría distinguir entre formas liberales y no liberales de *nation-building* en Kymlicka y Opalski, 2001.

terna de los inmigrantes, así como debería proveerse un apoyo para las organizaciones y grupos de las comunidades de inmigrantes que intervienen en el proceso de acogida e integración.

En segundo lugar, hemos de asegurar que las instituciones en las que los inmigrantes son presionados a integrarse proporcionan el mismo grado de respeto, reconocimiento y acomodación de las identidades y prácticas de las minorías etnoculturales que el proporcionado tradicionalmente a las identidades WASP (blanco, anglosajón y protestante, en sus iniciales inglesas) y franco-canadiense. De lo contrario, la promoción del inglés y el francés como lenguas oficiales equivale a privilegiar los intereses y estilos de vida de los descendientes de los colonos ingleses y franceses.

Esto requiere una exploración sistemática de nuestras instituciones sociales para ver si sus normas, estructuras y símbolos desfavorecen a los inmigrantes. Por ejemplo, es necesario examinar los uniformes reglamentarios, las fiestas oficiales, o incluso las restricciones de peso y altura para ver si son normas sesgadas en relación a ciertos grupos de inmigrantes. También es necesario examinar la imagen y presencia de las minorías en los currícula educativos o en los medios de comunicación para ver si son estereotipados, o no reconocen las aportaciones de los grupos etnoculturales a la historia de Canadá o a la cultura mundial. Etcétera.

Estas medidas son necesarias para asegurar que Canadá está ofreciendo una integración en términos justos a los inmigrantes. La idea del «multiculturalismo en un marco bilingüe» es, pienso, precisamente, un intento de definir en tales términos la integración. Y, desde mi punto de vista, la inmensa mayoría de cosas que se hacen bajo el epígrafe de una política multicultural, no sólo a nivel federal, sino también a nivel provincial y municipal, en los consejos escolares y en empresas privadas, puede ser defendido en tanto que promoción de una integración en términos justos (Kymlicka, 1998: cap. 3).

Algunos pueden no estar de acuerdo en relación a la equidad de algunas de estas políticas. Los criterios requeridos no son siempre obvios, especialmente en el ámbito de aquellas personas que han elegido entrar en un país. Y los teóricos políticos, hasta ahora, no han hecho mucho para esclarecer el tema. Aquí, de nuevo, el dominio del modelo de la «neutralidad etnocultural» del Estado liberal ha cegado a los teóricos liberales. Mi objetivo aquí no es promover una teoría particular sobre los términos justos de la integración, sino más bien insistir en que ésta es una cuestión relevante que hemos de afrontar. La cuestión no es si los inmigrantes nos han dado razones convincentes para apartarnos de la norma de neutralidad etnocultural, sino más bien cómo podemos asegurarnos que son justas las políticas estatales encaminadas a presionar a los inmigrantes para que se integren.

El centro de atención de esta tercera etapa del debate es, por tanto, mostrar cómo demandas específicas de derechos de las minorías están relacionadas con, y son una respuesta a, las políticas de *nation-building* de los Estados. Y el resultado lógico de esta etapa del debate será el desarrollo de teorías sobre el *nation-building* admisible y sobre los justos términos de la integración. Espero que rellenar estas lagunas conformará la agenda principal de los teóricos de los derechos de las minorías durante la próxima década.

5. ¿Una cuarta etapa?

Como podemos ver, en el debate sobre derechos de las minorías ha habido varios cambios significativos en un periodo relativamente corto de tiempo. Sin embargo, ha habido una asunción importante que es común en las tres fases del debate: el objetivo es evaluar la justicia de las demandas de acomodación de las diferencias culturales expresadas por las minorías. Ello refleja que la oposición a las reivindicaciones de derechos de las minorías se ha planteado tradicionalmente en el lenguaje de la justicia. Los críticos de los derechos de las minorías habían mantenido durante mucho tiempo que la justicia requeriría que las instituciones estatales fueran «ciegas al color». Adscribir derechos o ventajas en base a la pertenencia a grupos adscriptivos era visto como algo inherentemente arbitrario y discriminatorio, además de necesariamente creador de ciudadanos de primera y segunda clase.

La primera tarea a la que se enfrentaba un defensor de los derechos de las minorías era, por tanto, intentar superar esta suposición, y demostrar que las desviaciones de las reglas ciegas a la diferencia, adoptadas con el fin de acomodar las diferencias etnoculturales, no eran inherentemente injustas. Como hemos visto, esto se ha hecho de dos maneras: *a*) identificando las múltiples formas en que las instituciones dominantes no son neutrales, sino más bien implícita o explícitamente sesgadas hacia las necesidades, intereses e identidades del grupo mayoritario; y *b*) enfatizando la importancia de ciertos intereses que han sido tradicionalmente ignorados por las teorías liberales de la justicia —p. ej., los intereses en el reconocimiento, la identidad, la lengua y la pertenencia cultural—. Si estos intereses son ignorados o trivializados por el Estado, entonces parte de la población se sentirá perjudicada —y lo estará incluso si sus derechos civiles, políticos y sociales son respetados.

Si aceptamos uno o los dos puntos anteriores, entonces podemos ver los derechos de las minorías no como privilegios injustos u odiosas formas de discriminación, sino más bien como una compensación por unas desventajas injustas y, por tanto, como algo consistente e incluso requerido por la justicia.

Desde mi punto de vista, este debate sobre la justicia, que ha sido el centro de atención principal de las tres primeras etapas, está llegando a su fin. Por supuesto, como he apuntado antes, queda mucho trabajo por hacer para evaluar la justicia de formas concretas del multiculturalismo de la inmigración o del nacionalismo minoritario. Pero en términos de la cuestión, más general, de si los derechos de las minorías son inherentemente injustos, el debate está esencialmente acabado, y los defensores de los derechos de las minorías han ganado la partida. No quiero decir que los defensores de los derechos de las minorías hayan tenido éxito en la aceptación e implementación de sus reivindicaciones, pero se constata una clara tendencia en el seno de las democracias occidentales hacia un mayor reconocimiento de los derechos de las minorías. Los defensores de los derechos de las minorías han tenido éxito en la redefinición de los términos del debate público en dos aspectos muy relevantes. En primer lugar, pocos teóricos continúan pensando que la justicia puede ser definida, simplemente, en términos de reglas o instituciones ciegas a la diferencia. Por el contrario, ahora se acepta ampliamente que las reglas e instituciones ciegas a la diferencia pueden causar desventajas para grupos determinados. Si la justicia requiere reglas comunes para todos o reglas diferenciadas para grupos diversos es algo que ha de examinarse caso por caso en contextos concretos, sin asumir por adelantado cuál es el caso. En segundo lugar, y como resultado, la carga de la prueba se ha desplazado. La carga de la prueba ya no recae únicamente en los defensores de los derechos de las minorías con el fin de mostrar que sus propuestas de reforma no crean injusticias; la carga de la prueba igualmente recae en los defensores de las instituciones ciegas a la diferencia que deben mostrar que el *statu quo* no crea injusticias para los grupos minoritarios.

En otras palabras, los defensores de los derechos de las minorías han irrumpido en la autocomplacencia con la que los liberales solían rechazar las reivindicaciones de derechos de las minorías, y han nivelado exitosamente el campo de juego cuando se trata de debatir el mérito de estas reivindicaciones. Así, los argumentos primigenios basados en la justicia para justificar una oposición global a los derechos de las minorías se han desvanecido (Requejo 2002). Esto no ha significado que la oposición a los derechos de las minorías haya desaparecido o que haya disminuido significativamente. Pero ahora toma una nueva forma: los críticos han cambiado el centro de atención de la justicia a cuestiones relacionadas con la ciudadanía. Ahora no se centran ya en la justicia o injusticia de determinadas políticas, sino más bien en la manera en que la tendencia general a favor de los derechos de las minorías amenaza con erosionar las virtudes cívicas y prácticas de ciudadanía que sostienen una democracia saludable.

Esta preocupación por la virtud cívica y la estabilidad política representa, creo, la apertura de un nuevo frente en las «guerras del multiculturalismo», y puede ser vista como una cuarta etapa del debate. Muchos críticos afirman que los derechos de las minorías son equivocados, no porque sean injustos en sí mismos, sino más bien porque erosionan la unidad política y la estabilidad social a largo plazo. Puede que, en principio, promuevan la justicia, pero son peligrosos en la práctica.[14]

---

14. Debería enfatizar que la justicia y la estabilidad no son cuestiones mutuamente excluyentes. Al contrario, cualquier concepción plausible de la justicia debe tener en cuenta consideraciones de estabilidad a largo plazo. Las instituciones recomendadas por la teoría deben ser capaces de generar y sostener su propia lealtad y apoyo. Las instituciones justas deberían sostenerse por sí mismas.

¿Por qué las políticas de derechos de las minorías son vistas como desestabilizadoras? Diferentes autores ofrecen respuestas diversas, pero la preocupación subyacente es que los derechos de las minorías conllevan una «politización de la *etnicidad*» y que cualquier medida que aumente la relevancia de la *etnicidad* en la vida pública resulta divisoria. Con el paso del tiempo estos derechos crearían una espiral de competición, desconfianza y antagonismo entre grupos étnicos. Las políticas que incrementan la relevancia de las identidades étnicas, se dice, actúan «como un corrosivo en el metal que disuelve los lazos de conexión que nos unen como nación» (Ward, 1991: 598). Desde este punto de vista, las democracias liberales deben evitar que las identidades étnicas se politicen a través del rechazo de cualquier planteamiento de derechos de las minorías que comporte el explícito reconocimiento público de los grupos étnicos.

La visión extrema de esta crítica trata los derechos de las minorías como el primer paso en el camino hacia una guerra civil al estilo yugoslavo. La idea de que los derechos de las minorías podrían llevar a la guerra civil en las democracias occidentales es casi demasiado estúpida para merecer ser discutida. Pero hay una versión más moderada de esta crítica que frecuentemente se expresa en el lenguaje de la ciudadanía que sí merece ser considerada.

Los derechos de las minorías, desde este punto de vista, puede que no lleven a la guerra civil, pero erosionan la capacidad de los ciudadanos de cumplir con sus responsabilidades en tanto que ciudadanos democráticos: erosionarán la confianza, la capacidad de comunicarse, y de sentir solidaridad. Incluso si la reivindicación de un derecho minoritario concreto no es en sí misma injusta considerada de forma aislada, la tendencia hacia una relevancia creciente de la etnicidad erosionará las normas y las prácticas de la ciudadanía responsable, reduciendo el rendimiento conjunto del Estado.

Ésta es una cuestión importante. Está claro que la salud y la estabilidad de una democracia moderna depende no sólo de la justicia de sus instituciones básicas, sino también de las cualidades y actitudes de sus ciudadanos, tales como su sentimiento de identidad y de si ven las identidades nacionales, regionales, étnicas o religiosas como potencialmente conflictivas; de su capacidad para tolerar y trabajar junto a otros que son diferentes de ellos; de su deseo de participar en el proceso político con el fin de promover el bien público y de pedir responsabilidades a las autoridades políticas; de su disposición a mostrar autocontención y responsabilidad personal en sus demandas políticas y en sus elecciones personales; y de su sentido de la justicia y compromiso con una distribución justa de los recursos. Sin unos ciudadanos que posean estas cualidades «la capacidad de las sociedades liberales de funcionar exitosamente disminuye progresivamente» (Galston, 1991: 220).[15]

---

15.   Sólo recientemente los filósofos políticos han empezado a tomarse seriamente la cuestión de la virtud cívica y de la responsabilidad. Para una panorámica de los trabajos recientes sobre la ciudadanía en el seno de la filosofía política contemporánea, véase Kymlicka y Norman, 2000.

Hay un miedo creciente a que el espíritu público de los ciudadanos de las democracias liberales pueda estar en serio declive. Y si las reivindicaciones grupales contribuyen a erosionar aún más este sentido de solidaridad cívica compartida, entonces ésta sería una poderosa razón para no adoptar las políticas de derechos de las minorías.

Aunque estoy de acuerdo en que ésta es una cuestión importante que necesita ser investigada, también sospecho que muchas de estas afirmaciones sobre la erosión de la ciudadanía no se hacen de buena fe. Es interesante constatar que muchas de las mismas personas que solían argumentar vehementemente que los derechos de las minorías eran injustos por principio, ahora argumentan con igual vehemencia que aunque puede que estos derechos sean justos, en la práctica resultan peligrosos.

No obstante, no podemos ignorar la cuestión de que los derechos de las minorías puedan erosionar las normas y prácticas de una ciudadanía democrática responsable. Pero, ¿es ello cierto? Ha habido mucha especulación de salón sobre esta cuestión pero, sintomáticamente, poca evidencia. Necesitamos evidencia fiable sobre el impacto de los derechos de las minorías sobre la ciudadanía ya que uno podría argumentar de forma bastante plausible lo contrario: a saber, que es precisamente la ausencia de derechos de las minorías lo que erosiona los vínculos de solidaridad cívica. Después de todo, si aceptamos las dos afirmaciones centrales de los defensores de los derechos de la minorías —es decir, que las instituciones dominantes están sesgadas a favor de la mayoría, y que el efecto de este sesgo es el de perjudicar intereses importantes relacionados con la identidad personal— entonces podríamos esperar que las minorías se sintiesen excluidas de las instituciones dominantes «ciegas a la diferencia», y se sintiesen alienadas y desconfiadas en relación al proceso político. Podríamos predecir, entonces, que al eliminar las barreras y exclusiones que impiden a las minorías abrazar sinceramente las instituciones políticas, el reconocimiento de los derechos de las minorías realmente reforzaría la solidaridad y promovería la estabilidad política. Esta hipótesis es seguramente tan plausible como mínimo como la contraria, según la cual los derechos de las minorías erosionan la ciudadanía.

Todavía no tenemos el tipo de evidencia sistemática necesaria para confirmar o refutar decisivamente estas hipótesis contrapuestas. Sin embargo, hay evidencia fragmentaria que sugiere que los derechos de las minorías con frecuencia aumentan, más que erosionan, la ciudadanía responsable. Por ejemplo, la evidencia de Canadá y Australia —los dos países que primero adoptaron políticas oficiales de multiculturalismo para los inmigrantes— cuestiona de forma importante la afirmación de que el multiculturalismo inmigrante promueve el separatismo étnico, la apatía política, la inestabilidad o la hostilidad mutua de los grupos étnicos. Al contrario, estos dos países hacen mejor que ningún otro país del mundo el trabajo de integración de los inmigrantes en las instituciones cívicas y políticas comunes. Además, ambos han experimentado reducciones importantes de los prejuicios, así como incrementos en las relaciones y matrimonios interétnicos. No hay ninguna evidencia de que el objetivo de unos términos de integración más justos haya erosionado la ciudadanía (Kymlicka, 1998; cap. 2).

Por lo que respecta a las reivindicaciones de autogobierno de las minorías nacionales la situación es más complicada, ya que aquéllas comportan la creación de instituciones separadas y el reforzamiento de una identidad nacional distinta, y, por tanto, crean nacionalismos contrapuestos en un mismo Estado. Aprender a gestionar este fenómeno es una tarea profundamente difícil para cualquier Estado multinacional. Sin embargo, incluso aquí hay evidencia significativa de que reconocer el autogobierno a las minorías nacionales ayuda, más que amenaza, la estabilidad política. De hecho, los estudios del conflicto étnico en todo el mundo confirman repetidamente que un «rápido y generoso proceso de "devolución" es mucho más probable que prevenga que no que contribuya al separatismo étnico» (Horowitz 1991: 224). Es la denegación de la garantía de la autonomía política a las naciones minoritarias, o incluso peor, la decisión de retirar una autonomía ya existente (como en Kosovo) lo que lleva a la inestabilidad, no el reconocimiento de sus derechos de minoría (Gurr, 1993; Lapidoth, 1996).[16]

Deben realizarse más trabajos sobre el impacto de los derechos de las minorías en la ciudadanía responsable y la estabilidad política. Esta relación indudablemente variará caso por caso y, por consiguiente, requiere una investigación empírica meticulosa. Incluso aunque este tipo de trabajos es más probable que lo hagan sociólogos que filósofos, sospecho que los teóricos de los derechos de las minorías prestarán cada vez más atención a los hallazgos de los científicos sociales en este terreno. Pero al igual que ocurre con las preocupaciones sobre la justicia, está claro que las preocupaciones sobre la ciudadanía no pueden proporcionar motivos para rechazar en general los derechos de las minorías: no hay ninguna razón para asumir, de entrada, que hay alguna contradicción inherente entre los derechos de las minorías y la ciudadanía democrática.

6. **Conclusión**

He intentado esbozar cuatro etapas en el debate filosófico actual sobre los derechos de las minorías. En la primera etapa se veían los derechos de las minorías como un instrumento que los grupos comunitaristas utilizaban para defenderse de la invasión del liberalismo. Ello ha cedido el paso gradualmente a un debate más reciente sobre el rol de la cultura y la identidad en el interior mismo del liberalismo. En esta segunda etapa del debate, la cuestión es si los intereses de las personas hacia su cultura e identidad son suficientemente importantes para justificar el abandono de

---

16.   Para una discusión de la legitimidad política en Estados multinacionales, véase el capítulo 8 de Ferran Requejo.

la norma de neutralidad etnocultural, complementando los derechos individuales con derechos de las minorías.

Esta segunda etapa representa, creo, un progreso en tanto que plantea la pregunta adecuada, pero parte de un supuesto equivocado, ya que las democracias liberales no se atienen de hecho a ninguna norma de neutralidad etnocultural. Así, en la siguiente etapa del debate propongo ver los derechos de las minorías no como una desviación de la neutralidad etnocultural, sino como una respuesta al *nation-building* de la mayoría. Y he sugerido que esto afecta a la manera en que pensamos las demandas tanto de las minorías nacionales como de los grupos de inmigrantes. En concreto, esto plantea dos preguntas realmente importantes: *a)* ¿cuáles son las formas permisibles de *nation-building?*; y *b)* ¿cuáles son los términos justos de la integración de los inmigrantes?

Queda por hacer mucho trabajo en el análisis de la justicia de determinadas reivindicaciones de los derechos de las minorías. Hoy en día, sin embargo, podemos ver la emergencia de una cuarta etapa en la que las cuestiones de justicia se ven complementadas con cuestiones sobre la identidad cívica y la estabilidad política. Estas nuevas consideraciones harán que el debate sea todavía más complejo y se aleje de fórmulas fáciles.

Mirando atrás en el desarrollo de este debate, me inclino a pensar que se ha progresado, si bien queda mucho por hacer. Se ha progresado, no en el sentido de obtener respuestas más claras, sino más bien en el sentido de clarificar las preguntas. Los debates emergentes en las democracias liberales sobre el rol de la lengua, la cultura, la etnicidad y la nacionalidad, creo que resultan fructíferos en el momento de resolver los retos reales a los que se enfrentan hoy las sociedades etnoculturalmente plurales. Pero clarificar las preguntas no es garantía de clarificación de las respuestas. De hecho, quedan preguntas por contestar en las cuatro etapas: no hay consenso sobre el *estatus* de los grupos no liberales en las democracias liberales (1.ª etapa); o sobre el vínculo entre cultura y libertad (2.ª etapa); sobre la relación entre los derechos de las minorías y los procesos de *nation-building* (3.ª etapa); o, finalmente, sobre el vínculo entre los derechos de las minorías y la estabilidad (4.ª etapa). Estos debates estarán con nosotros durante un largo período de tiempo.

Referencias

Addis, Adeno (1992): «Individualism, Communitarianism and the Rights of Ethnic Minorities», *Notre Dame Law Review* 67/3, pp. 615-676.

Alfred, Gerald (1995): *Heeding the Voices of our Ancestors: Kahnawake Mohawk Politics and the Rise of Native Nationalism* (Oxford University Press, Toronto).

Anderson, Benedict (1983): *Imagined Communities: Reflections on the Origin and Spread of Nationalism* (New Left Books, Londres).

Baker, Judith (ed.) (1994): *Group Rights* (University of Toronto Press, Toronto).

Bauböck, Rainer (1994): *Transnational Citizenship: Membership and Rights in Transnational Migration* (Edward Elgar, Aldershot).

Beiner, Ronald (ed.) (1998): *Theorizing Nationalism* (SUNY Press, Albany).

Buchanan, Allen (1991): *Secession: The Legitimacy of Political Divorce* (Westview Press, Boulder).

Canovan, Margaret (1996): *Nationhood and Political Theory* (Edward Elgar, Cheltenham).

Couture, Jocelyne, Kai Nielsen y Michel Seymour (eds.) (1998): *Rethinking Nationalism* (University of Calgary Press, Calgary).

Dion, Stéphane (1991): «Le Nationalisme dans la Convergence Culturelle», en R. Hudon y R. Pelletier (eds.) *L'Engagement Intellectuel: Melanges en l'honneur de Léon Dion* (Les Presses de l'Université Laval, Sainte-Foy).

Frideres, James (1997): «Edging into the Mainstream: Immigrant Adult and their Children», en S. Isajiw (ed.) *Comparative Perspectives on Interethnic Relations and Social Incorporation in Europe and North America* (Canadian Scholar's Press, Toronto), pp. 537-562.

Galenkamp, Marlies (1993): *Individualism and Collectivism: the concept of collective rights* (Rotterdamse Filosofische Studies, Rotterdam).

Galston, William (1991): *Liberal Purposes: goods, virtues, and duties in the liberal state* (Cambridge University Press, Cambridge).

Garet, Ronald (1983): «Communality and Existence: The Rights of Groups», *Southern California Law Review* 56/5, pp. 1001-1075.

Gellner, Ernest (1983): *Nations and Nationalism* (Blackwell, Oxford).

Gilbert, Paul (1998): *Philosophy of Nationalism* (Westview, Boulder).

Glazer, Nathan (1983): *Ethnic Dilemmas:1964-1982* (Harvard University Press, Cambridge).

Gochnauer, Myron (1991): «Philosophical Musings on Persons, Groups, and Rights», *University of New Brunswick Law Journal* 40/1, pp. 1-20.

Gurr, Ted (1993): *Minorities at Risk: A Global View of Ethnopolitical Conflict* (Institute of Peace Press, Washington).

Harles, John (1993): *Politics in the Lifeboat: Immigrants and the American Democratic Order* (Westview Press, Boulder).

Heater, Derek (1990): *Citizenship: the civic ideal in world history, politics and education* (Longman, Londres).

Horowitz, Donald (1991): *A Democratic South Africa: Constitutional Engineering in a Divided Society* (University of California Press, Berkeley).

Ignatieff, Michael (1993): *Blood and Belonging: journeys into the new nationalism* (Farrar, Straus and Giroux, Nueva York).

Jenson, Jane (1993): «Naming Nations: Making Nationalist Claims in Canadian Public Discourse», *Canadian Review of Sociology and Anthropology*, vol. 30, n.º. 3, pp. 337-357.

Johnston, Darlene (1989): «Native Rights as Collective Rights: A Question of Group Self-Preservation», *Canadian Journal of Law and Jurisprudence* 2/1, pp. 19-34.

Karmis, Dimitrios (1993): «Cultures autochtones et libéralisme au Canada: les vertus mediatrices du communautarisme libéral de Charles Taylor», *Canadian Journal of Political Science* 26/1, pp. 69-96.

Kymlicka, Will (1989): *Liberalism, Community, and Culture* (Oxford University Press, Oxford).

— (1995a): *Multicultural Citizenship: A Liberal Theory of Minority Rights* (Oxford University Press, Oxford).

— (1995b): *The Rights of Minority Cultures* (Oxford University Press, Oxford).

— (1998): *Finding Our Way: Rethinking Ethnocultural Relations in Canada* (Oxford University Press, Toronto).

— (2000): *Politics in the Vernacular: Nationalism, Multiculturalism, Citizenship* (Oxford University Press, Oxford).

— y Wayne Norman (eds.) (2000): *Citizenship in Diverse Societies* (Oxford University Press, Oxford).

— y Magda Opalski (eds.) (2001): *Can Liberal Pluralism be Exported?* (Oxford University Press).

Lapidoth, Ruth (1996): *Autonomy: Flexible Solutions to Ethnic Conflict* (Institute for Peace Press, Washington).

Lehning, Percy (ed.) (1998): *Theories of Secession* (Routledge, Londres).

Levy, Jacob (1997): «Classifying Cultural Rights», en Ian Shapiro y Will Kymlicka (eds.), *Ethnicity and Group Rights* (Nueva York University Press, Nueva York), pp. 22-66.

— (2000): *The Multiculturalism of Fear* (Oxford University Press, Oxford).

Margalit, Avishai y Joseph Raz (1990): «National Self-Determination», *Journal of Philosophy* 87/9, pp. 439-461.

McDonald, Michael (1991*a*): «Questions about Collective Rights», en D. Schneiderman (ed.) *Language and the State: The Law and Politics of Identity* (Les Editions Yvon Blais, Cowansville).

— (1991*b*): «Should Communities Have Rights? Reflections on Liberal Individualism», *Canadian Journal of Law and Jurisprudence* 4/2, pp. 217-237.

McKim, Robert y Jeff McMahan (eds.) (1997): *The Morality of Nationalism* (Oxford University Press, Nueva York).

Miller, David (1995) *On Nationality* (Oxford University Press, Oxford).

Moore, Margaret (ed.) (1998): *National Self-Determination and Secession* (Oxford University Press, Oxford).

Narveson, Jan (1991): «Collective Rights?», *Canadian Journal of Law and Jurisprudence* 4/2, pp. 329-345.

Parekh, Bhikhu (2000): *Rethinking Multiculturalism: Cultural Diversity and Political Theory* (Harvard University Press, Cambridge).

Pfaff, William (1993): *The Wrath of Nations: Civilization and the Furies of Nationalism* (Simon and Schuster, Nueva York).

Phillips, Anne (1995): *The Politics of Presence: Issues in Democracy and Group Representation* (Oxford University Press, Oxford).

Raikka, Juha (ed.) (1996): *Do We Need Minority Rights: Conceptual Issues* (Kluwer, The Hague).

Raz, Joseph (1994): «Multiculturalism: A Liberal Perspective», *Dissent*, Winter 1994, pp. 67-79.

Requejo, Ferran (2002): «Federalism and the Quality of Democracy in Plurinational Contexts: Present Shortcomings and Possible Improvements», en V. Amoretti y N. Bermeo (eds.), Federalism, Unitarianism and Territorial Cleavages, 2 vols. (Johns Hopkins University Press, Baltimore, en prensa).

— (2001): «Political Liberalism in Multinational: the Legitimacy of Plural and Asymmetrical Federalism», en A. Gagnon y J. Tully (eds.), *Multinational Democracies* (Cambridge University Press, Crambidge).

— (1999): «Cultural Pluralism, Nationalism and Federalism. A Revision of Democratic Citizenship in Plurinational States», *European Journal of Political Research*, 35, pp. 255-286.

RCAP - Royal Commission on Aboriginal Peoples (1996) *Report of the Royal*

Commission on Aborignial Peoples. Volume 2: Restructuring the Relationship (Ottawa).

Schwartz, Warren (ed.) (1995): *Justice in Immigration* (Cambridge University Press, Cambridge).

Shapiro, Ian y Will Kymlicka (eds.) (1997): *Ethnicity and Group Rights: NOMOS 39* (New York University Press, Nueva York).

Spinner, Jeff (1994) *The Boundaries of Citizenship: Race, Ethnicity and Nationality in the Liberal State* (Johns Hopkins University Press, Baltimore).

Stepan, Alfred (1999): «Federalism and Democracy: Beyond the US Model», *Journal of Democracy*, 10/4, pp. 19-34.

Svensson, Frances (1979): «Liberal Democracy and Group Rights: The Legacy of Individualism and its Impact on American Indian Tribes», *Political Studies* 27/3, pp. 421-439.

Tamir, Yael (1993): *Liberal Nationalism* (Princeton University Press, Princeton).

Taylor, Charles (1992): «The Politics of Recognition», en Amy Gutmann (ed.) *Multiculturalism and the «Politics of Recognition»* (Princeton University Press, Princeton), pp. 25-73.

— (1997): «Nationalism and Modernity», en J. McMahan y R. McKim (eds.), *The Ethics of Nationalism* (Oxford University Press, Oxford).

Tully, James (1995): *Strange Multiplicity: Constitutionalism in an Age of Diversity* (Cambridge University Press, Cambridge).

Van Dyke, Vernon (1977): «The Individual, the State, and Ethnic Communities in Political Theory», *World Politics* 29/3, pp. 343-369.

— (1982): «Collective Rights and Moral Rights: Problems in Liberal-Democratic Thought», *Journal of Politics* 44, pp. 21-40.

— (1985): *Human Rights, Ethnicity and Discrimination* (Greenwood, Westport).

Van Williigenburg, Theo Robert Heeger y Wilbren van der Burg (eds.) (1995): *Nation, State, and the Coexistence of Different Communities* (Kok Pharos Publishing, Kampen, Holland).

Walzer, Michael (1992): «Comment», en Amy Gutmann (ed.) *Multiculturalism and the «Politics of Recognition»* (Princeton University Press, Princeton).

— (1997): *On Toleration* (Yale University Press, New Haven).

Ward, Cynthia (1991): «The Limits of "Liberal Republicanism": Why Group-Based Remedies and Republican Citizenship Don't Mix», *Columbia Law Review* 91/3, pp. 581-607.

Young, Iris Marion (1990): *Justice and the Politics of Difference* (Princeton University Press, Princeton).

CAPÍTULO 2

NACIONES SIN ESTADO.
NACIONALISMO MINORITARIO EN LA ERA GLOBAL

Michael Keating

1. Analizando el nacionalismo

El resurgimiento del nacionalismo en las sociedades europeas a finales del siglo XX ha resucitado todos los antiguos debates sobre su naturaleza, sus causas y sus efectos. Existe una gran variedad de teorías relacionadas con este tema. Todas tienen, sin embargo, ciertas características en común. Todas pretenden dar explicaciones universales de un fenómeno tan diverso que suele resultar imposible definirlo. Así, teorías desarrolladas en un contexto a menudo no sirven para analizar otro distinto. Hay una gran tendencia hacia la teleología, como si todos los procesos sociales fueran en la misma dirección: hacia la consolidación del estado-nación o hacia su sustitución. Hasta hace poco se daba por sentado, además, que los movimientos nacionalistas querían, por definición, su propio estado. Finalmente, a menudo existe un fuerte elemento normativo en la discusión sobre el estado-nación decimonónico, considerado como la base fundamental para el orden internacional, la democracia y la integración social. Este capítulo adopta un enfoque algo diferente.

Aquí, consideramos la relación entre identidad, territorio e instituciones como algo contingente y variable (Keating, 1988; 1996; 1998). Tanto las naciones como los estados se están construyendo y reconstruyendo continuamente; la historia no es solamente el pasado sino algo que estamos viviendo ahora. No quiero entrar aquí en el viejo debate entre primordialistas e instrumentalistas. Ambas posiciones son en alguna medida correctas. Las naciones son «invenciones», pero solamente si reconocemos la ambigüedad de esta palabra. Actualmente invención significa una «ficción», utilizándose en sentido peyorativo para dar a entender que las naciones y las tradiciones nacionales son meros inventos (Hobsbawm y Ranger, 1983). En su acepción original latina, una invención significa descubrir algo que ya existe, que ya está ahí.[1] La invención de las naciones se encuentra en algún lugar entre estas dos posiciones, una construcción, pero edificada sobre materiales históricos más o menos manipulados para amoldarlos a la tarea. Esta idea está relacionada tanto con el trabajo de académicos que han explorado la naturaleza problemática de la tarea y la dificultad de incorporar periferias (Lipset y Rokkan, 1967; Rokkan y Urwin, 1982, 1983; Tilly, 1975), como con trabajos más recientes sobre la contingencia y la reversibilidad de los procesos de *nation-building* (Keating, 1988; Tilly, 1990; Tilly y Blockmans, 1994; Spruyt, 1994).

La tendencia de relacionar el nacionalismo con el estado es todavía bastante persistente (Hobsbawm, 1990). Otros estudiosos cuestionan ahora esta suposición (Smith, 1991; Breuilly, 1985), concediendo que es posible que los nacionalistas quieran algo distinto. Es más, si insistimos en que el principal objetivo del nacionalismo es la creación de un estado propio, tendremos que limitarlo al periodo del estado-nación clásico, tal como, efectivamente, hace Hobsbawm, o bien deberemos ampliar nuestra definición de estado hasta tal punto que empezará a perder buena parte de su significado. Existen muchos ejemplos de fenómenos anteriores a la aparición del estado-nación moderno que se parecen mucho al nacionalismo; y este último no parece haber perdido fuerza en una época en la cual el estado-nación está pasando por una transición fundamental.

En cuanto a la dimensión normativa, existe todavía la tendencia en algunos analistas, como Dahrendorf (1995) y Hobsbawm (1992), a identificar el estado-nación con el liberalismo, la democracia y la tolerancia, y a considerar el nacionalismo minoritario como algo retrógrado e intolerante por definición. Es necesario abandonar este prejuicio si queremos tomar en serio tanto el nacionalismo minoritario como el mayoritario.

Vivimos en un mundo en que el estado, aunque no está desapareciendo, está experimentando cambios importantes. Las relaciones entre territorio, identidad e instituciones se están transformando. Esto ofrece oportunidades para la construcción de nuevos sistemas de regulación social y de acción colectiva tanto por debajo como por encima de los estados. Pero estos sistemas toman formas distintas. Una de ellas es la de unos nacionalismos minoritarios que se han revitalizado en aquellos territorios donde existe un sentido histórico de identidad, un legado institucional y un liderazgo político capaz de crear un sistema nuevo. Es el proceso que en otros trabajos (Keating, 1997) he denominado «*stateless nation-building*» (construcción nacional sin estado).

2. La Transformación del Estado

Existe un debate vigoroso sobre si el estado-nación está en declive, en retirada o sobre si se está quedando «hueco». Sería exceder los límites de

---

1. Oneto (1997) utiliza esta acepción de la palabra para referirse a la Padania.

este capítulo tratar este tema ampliamente, pero es evidente que las relaciones entre la identidad, el territorio y las instituciones están experimentando cambios importantes. El concepto de estado no es nada nuevo, pero el estado-nación, en la forma que lo conocemos, es un fenómeno relativamente reciente. Representa la coincidencia en un mismo espacio de varios principios de organización económica y social. Es el centro principal de la identidad colectiva, reforzada y transmitida a través de la cultura y de la socialización. Esta identidad colectiva ofrece a su vez la base para la solidaridad social. El estado es el marco para la seguridad interna y externa. Enmarca un sistema económico que nos permite hablar de economías nacionales, con límites definibles aunque permeables. Constituye una serie de instituciones y de procedimientos para la toma de decisiones políticas. En este sentido, el estado-nación es el producto de la era moderna que en la actualidad está experimentando importantes transformaciones (Camilleri y Falk, 1991). Se está transformando desde arriba a través de la emergencia de regímenes transnacionales, en Europa (la Unión Europea y otras entidades pan-europeas); y en Norteamérica (el Acuerdo sobre el Libre Comercio en Norteamérica-NAFTA); lateralmente a través de la privatización y de la liberalización; y desde abajo a través de las reivindicaciones territoriales. Su capacidad funcional es todavía alta, pero la interdependencia está limitando su autonomía. Su capacidad para gestionar la economía está siendo mermada desde arriba por la globalización, la movilidad de capitales y el auge de las corporaciones multinacionales; lateralmente por el avance del mercado; y desde abajo a partir de formas de reestructuración económica que son el producto de exigencias locales y regionales. Esta erosión tri-direccional del estado-nación ha roto el vínculo entre el cambio económico y la toma de decisiones políticas, así como entre estas últimas y la representación. Ha erosionado la solidaridad social y dificultado los antiguos compromisos y transacciones entre las clases que estaban en la base del acuerdo de bienestar de la posguerra. Ha reducido la capacidad de los estados para gestionar sus economías territoriales. Incluso ha amenazado la eficiencia económica al actuar contra la producción de bienes públicos y la cooperación social, la otra cara de la competencia en una economía de mercado. El poder se ha desplazado hacia redes que cada vez se corresponden menos con la forma institucional del estado y los mecanismos de representación y deliberación democrática (Castells, 1997). La desmitificación del estado ha mermado su legitimidad como último portador de valores y de autoridad.

Nos encontramos, así, en un mundo donde coexisten múltiples esferas de autoridad con múltiples sistemas de acción. Sería un serio error presentar este hecho como algo totalmente nuevo, o contrastarlo con un estado mitificado de la era clásica que podía monopolizar la autoridad e internalizar el proceso de toma de decisiones políticas. De la misma manera, no debemos exagerar el declive del estado, que todavía cuenta con un arsenal importante de poderes y recursos. También sería erróneo asumir que el estado desaparecerá por el mero hecho de ser funcionalmente redundante (incluso asumiendo que lo sea). Poderosos intereses públicos y privados tienen vinculación con el estado, el cual posee aún una fuerte dinámica propia. Por lo tanto, imaginar que un nuevo orden estatal basado en las regiones o en las naciones sin estado está a punto de aparecer para sustituir el sistema estatal europeo, de la misma manera que los estados nacieron del Imperio Romano o de los imperios centrales de Europa después de 1918, es malinterpretar lo que está ocurriendo. La tarea es mucho más complicada. Se trata de comprender las condiciones para la construcción de naciones como sistemas de regulación social y de acción colectiva en un mundo donde ya no existe el modelo clásico del estado-nación.

La nacionalidad y el nacionalismo no pueden considerarse como meras doctrinas y programas instrumentales, explicados y justificados por las funciones que llevan a cabo. No obstante, la nacionalidad desempeña una serie de funciones sociales (Miller, 1995), algunas de las cuales son difícilmente imaginables en su ausencia. De la misma manera, la aparición del nacionalismo minoritario en la sociedad contemporánea puede interpretarse como un intento de reconstruir la esfera pública y de resolver problemas de acción colectiva ante los mercados globales, el individualismo social y la crisis del estado. Es posible que sea un intento de reconstituir un área de decisión y de deliberación democrática en un mundo de organizaciones y poderes ocultos. Por consiguiente, no deberíamos interpretarlo como prueba de un regreso al tribalismo y de rechazo de la modernidad, ni tampoco como una evidencia de posmodernismo. Por el contrario, es posible verlo como parte de la modernidad misma. Quiero enfatizar el término «posible» ya que, como otros nacionalismos, esta forma podría ser xenófoba y demagógica, y que tratara de culpar a extranjeros y minorías de problemas complejos. Mi único propósito es decir que deberíamos tratarlo desde el mismo punto de vista moral que a sus rivales estatales, tanto si estos últimos se presentan de manera explícita como nacionalismos como si intentan disfrazarse de universalistas. Hoy en día no podemos reconstruir la esfera pública a través de la recreación de un modelo estatal perdido, en una escala más pequeña. Los nacionalismos minoritarios que tratan de hacerlo están condenados al fracaso (Castells, 1997) a menos de que se den cuenta de las limitaciones de poder. De hecho, la mayoría de los nacionalismos minoritarios de las democracias occidentales desarrolladas son conscientes de ello y están buscando nuevas formas de acción pública en el contexto de los mercados globales y de regímenes supranacionales.

2.1. El Proceso de *NATION-BUILDING* de las Naciones sin Estado

Cuatro estados en los que los efectos de la globalización y de la integración supranacional se han combinado con el resurgir de los nacionalismos minoritarios son el Reino Unido, España, Bélgica y Canadá. Todos son ejemplos de varios desafíos al estado. Estos desafíos son de distinta índole, tienen diferentes objetivos y cubren varias funciones. No obstante, todos ellos proporcionan material para una comparación sistemática del proceso de *stateless nation-building* —la construcción de nuevas o renovadas comunidades imaginadas (Anderson, 1983) y de sistemas de acción colectiva—. En distinto grado, estos nacionalismos reconocen tanto las limitaciones del concepto tradicional de soberanía como la dificultad de hacer frente a los estados democráticos establecidos. Estos últimos, a pesar de estar debilitados funcionalmente, todavía mantienen una reserva de poder y legitimidad. Carentes de un estado o incluso del proyecto de crear uno, estos nacionalismos necesitan otras fórmulas para fomentar la identidad colectiva, crear instituciones y potenciar su poder político. Operando en mercados globales y en regímenes de libre comercio, necesitan mirar a la vez hacia dentro, para fomentar solidaridad, y hacia fuera, para poder operar en un ámbito económico más amplio.

2.1.1. *Identidad*

El primer requisito es la construcción de identidades colectivas. Aquí nos enfrentamos al dilema de la modernidad (Touraine, 1992). Una identidad colectiva basada exclusivamente en el pasado (sea éste un pasado real o ficticio) no ofrece las bases necesarias para enfrentarse al presente y al futuro (Renaut, 1991). Una identidad basada solamente en consideraciones actuales echa en falta una base para los valores. Ésta es la razón por la que el nacionalismo no puede considerarse como un mero instrumentalismo. Ello no explicaría cómo se forjó esta identidad o por qué fue elegida. Los nacionalismos exitosos y modernizadores deben unir el pasado y el futuro. Por esta razón, los movimientos nacionalistas continúan enfatizando el pasado, calificando a la nación como una realidad antigua y a su historia como una lucha constante por sus derechos, si bien el énfasis puede variar. Los nacionalistas de Quebec se remontan a la conquista de los británicos en el siglo XVIII. Los catalanes otorgan gran importancia al hecho de que fueron una gran nación comercial autogobernada con anterioridad a 1714. Los escoceses también refieren a su previa condición de estado independiente. Los nacionalistas vascos reclaman que los antiguos «fueros» son la base de sus reivindicaciones, y no la Constitución española. El tema, sin embargo, no está tan claro. Sabino Arana inventó muchos aspectos de la historia vasca para sostener sus argumentos ya que el nacionalismo vasco surgió a finales del siglo XIX. Flandes, tal como lo conocemos hoy en día, es una creación moderna que no se corresponde con ninguna unidad histórica (Kerremans, 1997): excluye gran parte del Flandes histórico e incluye otras zonas. Sin embargo también busca una legitimación histórica.

Si la historia es importante para definir la nación y sus reivindicaciones, se podría pensar que sólo los nativos y sus descendientes pueden participar en ella. Sin embargo, una identidad basada exclusivamente en criterios étnicos no solamente es cuestionable desde un punto de vista ético, sino que también milita contra la cooperación social y la solidaridad. Una base más segura es la identidad cultural, donde la cultura del territorio está suficientemente abierta para asimilar a los nuevos miembros de la sociedad y a los miembros de grupos minoritarios. Éste es un tema delicado. Una cultura que carece de principios comunes no ofrece una base para la solidaridad, la acción colectiva o los derechos de ciudadanía. Por otro lado, una cultura común definida de una manera demasiado restrictiva podría excluir a algunos miembros de la sociedad y devenir en poco más que una simple señal de diferenciación étnica. Por lo tanto, la cultura debe ser capaz de adaptarse y absorber a los nuevos miembros de la sociedad. Esto implica que los inmigrantes pueden adoptar no solamente la cultura de la sociedad sino también su historia.

Una de las críticas más frecuentes contra el nacionalismo minoritario es que es discriminatorio e incluso racista, y que se dirige contra miembros de la mayoría estatal y los inmigrantes. A menudo estas acusaciones están basadas en meras suposiciones y pasan por alto las características exclusivistas del nacionalismo estatal. La investigación empírica revela un panorama más complejo. El nacionalismo vasco era al principio altamente excluyente, basándose en la descendencia sanguínea y en una actitud hostil hacia los inmigrantes. Durante el siglo XX, sin embargo, se ha vuelto más integrador y hoy en día reconoce como vascos a todas las personas que viven en el País Vasco que quieren ser vascos. Los nacionalismos catalán y escocés se han mostrado más integradores y hoy también reconocen explícitamente que todos pueden pertenecer a sus naciones. El caso de Flandes es más difícil, ya que la nación se construyó sobre la separación de dos grupos lingüísticos en una sociedad en la que la lengua se convirtió en el indicador de la diferenciación étnica, y no ha habido ningún intento de incorporar a los inmigrantes no europeos. El *Vlaams Blok* es explícitamente racista y anti-inmigrante, y al igual que el Frente Nacional francés, ha sido capaz de establecer los términos del debate con una frecuencia desproporcionada a su fuerza efectiva. El nacionalismo de Quebec ha abandonado su antiguo interés por los quebequeses de viejo linaje (los *Québécois de souche*) en favor de un nacionalismo abierto que, en principio, incluye a los anglófonos y a los inmigrantes, si bien éste no es un tema resuelto y los activistas nacionalistas a menudo ponen en aprietos a los líderes del partido con afirmaciones que implican lo contrario.

La política lingüística ha reflejado esta cuestión en aquellos casos donde existe una lengua distinta. La defensa del monolingüismo puede ser interpretada como un mecanismo para la exclusión étnica dirigida hacia aquellos que no pertenecen al grupo principal; o puede ser una medida integradora, diseñada para impedir que los inmigrantes sean marginados. Por otro lado, el pluralismo lingüístico puede interpretarse a su vez como una medida de tolerancia liberal, o bien como una manera de mantener la cohesión del grupo principal y de marginar a los inmigrantes y a aquellos que no hablan la lengua. Mientras que la primera política de Quebec fue la de mantener la cohesión de los francófonos a través de la lengua; ahora hace un esfuerzo importante por integrar a los inmigrantes a través de ella, de aquí la obligación de que los hijos de los inmigrantes sean educados en francés. La comunidad anglófona, sin embargo, está exenta de esta obligación. Más polémica fue su decisión de limitar la expresión pública en inglés a través de sus leyes de señalización pública. La mayoría de la población es monolingüe y la barrera lingüística es la principal fuente de diferenciación, aunque cada vez hay más personas, sobre todo entre la comunidad anglófona, que son competentes en las dos lenguas. Las leyes lingüísticas de Cataluña son menos restrictivas. Exigen una educación en catalán, pero reconocen que la sociedad en su conjunto debe ser bilingüe al exigir a los niños que sepan comunicarse en ambos idiomas. En el País Vasco, al igual que en el País de Gales, sólo una minoría habla la lengua autóctona. Aquí se ha seguido una política de fomentar el uso de la lengua a través de la enseñanza, los medios de comunicación y la cultura, aumentando su conocimiento y uso, aunque reconociendo que la mayoría de la población no la utiliza. En ambos casos ha habido una revalorización de la lengua, y los padres de familia de las clases medias urbanas, cuyos miembros no hablan vasco o galés, han empezado a enviar a sus hijos a escuelas vascas o galesas. De esta manera, el idioma se convierte en parte del proyecto de *nation-building*, en un símbolo de la identidad nacional, incluso allí donde la mayoría de la población no lo habla. Flandes, por otro lado, es monolingüe; las fronteras de la región están trazadas de modo que incluso en Bruselas la población flamenca está bajo la autoridad del gobierno de Flandes en las cuestiones relacionadas con la lengua, la cultura y la educación. Muchos flamencos son bilingües pero, debido a la internalización de la vida pública en Flandes, la segunda lengua es cada vez más el inglés, en lugar del francés.

En general, pues, las naciones sin estado están utilizando la política lingüística no para imponer un código cultural único a la manera del *nation-building* decimonónico, sino para fomentar una identidad nacional que permite a la vez el bilingüismo y un cierto grado de pluralismo. Esta forma abierta de nacionalismo no puede ser considerada, en general, como una forma de discriminación o de exclusión cultural. Más bien es una manera de permitir la incorporación de inmigrantes en la nación y debe ser juzgada según el éxito que tenga en ello. Únicamente en Flandes, de los ejemplos considerados aquí, existe una política de monolingüismo, como resultado de la decisión belga de resolver el conflicto lingüístico mediante la segregación efectiva de las poblaciones.

Junto a esta mayor sensibilidad lingüística se da un aumento de las identidades múltiples, por las que los individuos se sienten simultáneamente miembros de la nación minoritaria, del estado-nación y, en algunos casos, también de Europa. Existe una tendencia en el caso de los que nacieron en la nación minoritaria y hablan su lengua a que se sientan más exclusivamente miembros de esta nación, mientras que los inmigrantes se sienten más exclusivamente miembros del estado-nación. Sin embargo, casi todas las encuestas muestran una mayoría que profesa una doble identidad, aunque se decante más hacia un lado u otro. Allí donde el precio de la asimilación es bajo, como en Escocia (donde no hay ningún requisito lingüístico) o en Cataluña (donde es bastante fácil aprender la lengua) se asimila una gran proporción de inmigrantes. Se asimilan menos en el País Vasco o Gales, que continúan siendo sociedades bastante divididas. En Quebec, la evidencia sobre la asimilación de los inmigrantes es contradictoria, mientras que se da una marcada división de identidad entre francófonos y anglófonos. El incremento de identidades múltiples es un factor básico que permite que estas comunidades emergentes y sus miembros, puedan operar en múltiples niveles de acción, desde el nivel local, pasando por el nivel estatal, hasta el nivel continental.

2.1.2. *Opciones constitucionales*

Todos los nuevos nacionalismos minoritarios plantean reivindicaciones sobre la autodeterminación, reclamando su derecho a negociar su propio futuro constitucional. Sin embargo, las implicaciones de esta actitud están lejos de ser claras. Algunos prefieren la independencia en su sentido más clásico, cuando menos a largo plazo. El Partido Nacional Escocés (SNP) busca la independencia, el *Parti Québècois* (PQ) reclama la «soberanía» de Quebec, mientras el Partido Nacionalista Vasco (PNV) prefiere, de forma más ambigua, un País Vasco independiente. No obstante, incluso en estos casos, la independencia está rodeada de condiciones. El SNP la combina con su apoyo a una integración europea avanzada, mientras que el PNV considera que un grado más alto de integración europea y la erosión del estado son precondiciones para la independencia vasca. El PQ está dividido. Algunos, como el anterior líder Jacques Parizeau, creen que el Acuerdo sobre el Libre Comercio en Norteamérica (NAFTA) y la globalización proporcionarán todo el apoyo externo necesario para un Quebec independiente. Otros quieren negociar un acuerdo adicional y bilateral con Canadá. Sin embargo, hasta Parizeau quiere mantener el dólar canadiense. En el referéndum de 1995 había un compromiso por el cual Quebec tendría la soberanía después de proponer a Canadá una estrecha asociación que incluiría una unión económica y monetaria, la doble ciudadanía, instituciones parlamentarias y ejecutivas compartidas y posiciones comunes en las organizaciones internacionales. Una gran parte de la opinión pública en Quebec desea una renovada confederación con Canadá, en la cual la nacionalidad y la especificidad de Quebec tendrían su reconocimiento. Esta posición, en sus versiones más avanzadas, conecta con el ala moderada del PQ que enfatiza un acuerdo con Canadá. Un espectro similar de posiciones existe también en Escocia. Mientras que el SNP es inequívocamente separatista, se esfuerza en enfatizar los vínculos con Europa e incluso la inevitabilidad de una «unión social» con Inglaterra. La Convención Constitucional Escocesa, encabezada por el Partido Laborista y el Partido Liberal-Demócrata, situada dentro de la tradición del autogobierno y no de la tradición separatista, insistía en la soberanía del pueblo escocés y su derecho a renegociar la unión con Inglaterra. El Partido Laborista rechazó esta posición más tarde, pero su firma permanece en el documento. Los nacionalistas galeses del *Plaid Cymru* predican una forma no-estatalista de nacionalismo que tendrá su máxima expresión en una Europa unida de los pueblos. En Cataluña, *Convergència i Unió* insiste en los derechos de Cataluña de negociar con España, pero con la misma insistencia subraya que el futuro de Cataluña está dentro de una confederación española y no de un estado-nación propio. *Esquerra Republicana de Catalunya* es claramente independentista, pero insiste en que ello se producirá a largo plazo dentro del contexto de una Europa en la que los estados-nación habrán desaparecido. Los partidos flamencos se muestran divididos y ambiguos. El *Vlaams Blok* predica un nacionalismo anticuado, pero recibe apoyo por su postura racista y anti-inmigrante. El *Volksunie* comparte la misma ambigüedad que otros partidos nacionalistas europeos. Está a favor de la independencia, pero está dispuesto a esperar el colapso del estado belga para permitir que Flandes sea independiente en Europa. Los Demócratas Cristianos siguen una línea aún más ambigua cuyo resultado final parece ser un Flandes independiente en una Europa integrada, aunque no lo afirman abiertamente.

Esta ambivalencia podría ser considerada como mero oportunismo, pero refleja una genuina incertidumbre sobre el significado de la independencia y el autogobierno en el mundo moderno. Esta incertidumbre está también presente en la opinión pública. Las encuestas muestran repetidamente que un número importante de quebequeses está a favor de la soberanía e incluso de la independencia, mientras al mismo tiempo quieren quedarse dentro de Canadá. Se encuentra el mismo fenómeno en Cataluña, donde las respuestas a preguntas «blandas» sobre si la gente ve positivamente la independencia de Cataluña reciben mucho más apoyo que las preguntas «duras» sobre separatismo. Lo mismo ocurre en Escocia. Se podría achacar este fenómeno a la ignorancia sobre cuestiones constitucionales y a las categorías utilizadas. Sin embargo, se puede argumentar también que el público muestra una comprensión realista de la ambigüedad de estas categorías en el mundo actual.

2.1.3. *La Dimensión Transnacional*

Hoy en día, todos los movimientos nacionalistas minoritarios enmarcan sus reivindicaciones en el contexto de la globalización y el auge de los regímenes transnacionales, especialmente la UE y la NAFTA. Para algunos se trata de un uso meramente instrumental, una manera de demostrar que los costes de la independencia han disminuido y que, en un mundo interdependiente, el estado estaría interesado en mantener vínculos comerciales y de cooperación con una nación secesionista. Ésta era más o menos la posición del anterior líder del PQ, Jacques Parizeau, que argumentaba que la NAFTA y otros acuerdos internacionales permitirían a Quebec prescindir de una asociación especial con Canadá. El SNP mantiene normalmente una línea parecida en relación a la vinculación de Escocia con la UE y con algo más de credibilidad, ya que la UE dispone de instituciones comunes mucho más fuertes que la NAFTA, sobre todo a partir de la moneda única. Más a menudo, sin embargo, los nacionalistas minoritarios utilizan la globalización y los regímenes transnacionales como una manera de defender su posición a favor de una forma no separatista de nacionalismo. Existen varias maneras de permitir que el nuevo orden europeo y transnacional acomode a los nacionalismos territoriales. Una es abaratar los costes de la independencia y facilitar su transición. Es posible que la disolución del estado belga se vea acelerada y facilitada por la integración europea, puesto que Europa se encargará de funciones clave como el comercio, la regulación económica, la política monetaria y (como Europa o a través de la OTAN) de la defensa. Es improbable, sin embargo, que los estados europeos contemplen de buena gana su desmembramiento dentro de Europa. La secesión sigue siendo un paso muy serio, incluso en el interior de un orden transnacional. Más interesante, quizás, sea el hecho de que Europa permite una nueva visión de la idea de la soberanía y que crea un nuevo escenario donde las nacionalidades pueden expresarse. La misma naturaleza de la UE conlleva replantear la soberanía, aunque no todos los estados están dispuestos a aceptar este hecho; y otras entidades pan-europeas como el Consejo de Europa cuestionan también el monopolio del estado. Más concretamente, Europa actúa en tres aspectos.

En primer lugar, permite separar los derechos humanos y civiles del estado, especialmente a través del Consejo de Europa y de sus mecanismos para proteger los derechos humanos. De esta manera se acaba con la pretensión de que solamente el estado-nación puede garantizar la igualdad de derechos, permitiendo que éstos se expresen en términos más auténticamente universales, sin las connotaciones nacionalistas que conlleva el hecho de que éstos sean propiedad del estado-nación. Vale la pena mencionar que la principal objeción de los nacionalistas quebequeses a la Carta canadiense de Derechos no es su contenido detallado, que es muy parecido a la Carta de Quebec, sino al hecho de que se utilizó como un instrumento del *nation-building* canadiense que negaba la especificidad de Quebec. Norteamérica, sin embargo, carece de un sistema transnacional de derechos comparable al de Europa. En cambio, en el Reino Unido se ha utilizado frecuentemente la Convención Europea de Derechos Humanos para garantizar los derechos durante la *devolution*. En el acuerdo de paz de Irlanda del Norte queda establecido que las leyes de la Asamblea de Irlanda del Norte estarán sujetas a la Convención Europea sobre Derechos Humanos. De esta manera se asegura que los derechos no serán cuestionados por ser producto de las justicias irlandesa o británica. La devolución escocesa incluye estipulaciones similares. Europa, esta vez a través de la UE, también estipula una igualdad de trato en diversas cuestiones económicas y sociales. Al ser estas estipulaciones obligatorias, tanto para entidades estatales como no estatales, resultan más aceptables para las naciones minoritarias. Es importante señalar que la condición para que todo esto funcione es que Europa no se esfuerce en ser un estado, ni tampoco fomentar una nacionalidad europea, sino en seguir siendo un espacio político neutral, regido por concepciones universales de los derechos humanos y la justicia, pero sin la ambición de convertirse en una nación. Si lo hiciera, volvería a crear los antiguos problemas de asociar los derechos humanos y civiles con un proyecto específico de *nation-building*, y a arriesgarse a provocar la oposición tanto de los estados existentes como de las naciones sin estado.

En segundo lugar, Europa proporciona una serie de oportunidades para la autonomía funcional de las naciones sin estado. El argumento de la Europa de las Regiones fue exagerado a principios de los años 90 ya que no existe ninguna estructura clara de representación de las naciones sin estado en las instituciones de la UE. Existen, sin embargo, una gran variedad de oportunidades mediante formas de presión en Bruselas, redes inter-regionales, comités consultivos y asociaciones de política regional europea (Jáuregui, 1997; Petschen, 1993; Bullman, 1994; Jones y Keating, 1995). No es posible utilizar las instituciones europeas para evitar o para enfrentarse a los gobiernos estatales ya que los estados continúan siendo los principales actores en la UE. Las regiones y naciones sin estado de más éxito son las que utilizan múltiples canales de acceso, incluyendo sus propios gobiernos estatales, y reconociendo la complejidad actual de las redes políticas y la difusión del poder y autoridad. El éxito también depende de las competencias que las regiones y naciones sin estado reciban para actuar en Europa e internacionalmente. Las regiones y comunidades belgas tienen total competencia externa sobre sus competencias internas y han podido actuar directamente en Europa de diversas maneras. En otros estados, incluyendo España, los distintos gobiernos centrales se han esforzado en limitar las actividades internacionales de los actores subestatales, aunque tanto Cataluña como el País Vasco han sido muy activos en el movimiento de la Europa de las Regiones, disponiendo de oficinas en Bruselas y una extensa red de contactos internacionales. La legislación sobre la *devolution* en el Reino Unido estipula un papel específico para Escocia en la UE, que incluye una oficina en Bruselas.

En tercer lugar, y quizás el más importante, Europa suministra un nuevo espacio de discusión para los nacionalistas minoritarios y ofrece múltiples oportunidades para proyectarse simbólicamente como algo más que meras regiones. Actuar a niveles europeos e internacionales ayuda al proceso interior de *nation-building* puesto que lo legitima y le da una dimensión externa e internacional. Es este hecho, sobre todo, el que explica el fuerte pro-europeísmo de la mayoría de los nacionalistas minoritarios de la Unión Europea. Una vez más, la pre-condición es que Europa no sea un estado sino un ámbito estructurado que ofrezca oportunidades a diferentes tipos de actores. A menudo se subestima el contenido simbólico del nacionalismo, o se descarta por irrelevante o como una forma de falsa conciencia. Sin embargo, allí donde la nacionalidad y el nacionalismo se definen como las reivindicaciones de un grupo de referencia a un espacio y a la autodeterminación, las cuestiones simbólicas adquieren una gran importancia. Ciertamente, el debate sobre la acomodación de Quebec en Canadá ha degenerado en un debate sobre simbolismo y reconocimiento. El Acuerdo de Meech Lake fracasó básicamente debido a la resistencia del resto de Canadá a aceptar una formulación tan débil de este hecho como era la proclamación de Quebec como una «sociedad distinta». Europa proporciona un escenario en el cual es posible plantear todo tipo de reivindicaciones relacionadas con simbologías nacionales, desde la presencia de «embajadas» en Bruselas y de los viajes de presidentes regionales hasta la práctica de tener izadas tres banderas, la europea, la estatal y la regional/nacional. Hay pruebas de que el esfuerzo por situar la identidad nacional minoritaria en un contexto europeo está teniendo éxito. Los catalanes se han vuelto notablemente más pro europeos durante los años ochenta y noventa, sumando ésta a su repertorio de identidades múltiples. Los vascos son más particularistas, pero ellos también se han vuelto más europeizados (García Ferrando *et al.*, 1994; Sangrador García, 1996; Moral, 1998). La opinión pública escocesa es más favorable a Europa que la de otras zonas del Reino Unido, al contrario de lo que ocurría en los años setenta, lo cual refleja la instrumentalización de Europa tanto por parte del movimiento laborista como por parte del movimiento nacionalista escocés (Brown *et. al.*, 1998). Se observa un fenómeno paralelo en Canadá, donde Quebec siempre ha estado más a favor del libre comercio que otras regiones (Martin, 1997).

La UE no es el único espacio donde las naciones minoritarias pueden adquirir un mayor reconocimiento. Está también el Consejo de Europa, que ha sido muy activo en la promoción de las lenguas y culturas minoritarias, y existen otros foros europeos. La *Francophonie* proporciona una plataforma para Quebec, fuera de Canadá. Muchas minorías nacionales argumentan que la UNESCO no debería solamente representar a los estados, sino que debería incluir todas las entidades con sus propias instituciones culturales y educativas. El hecho de que Escocia, por ejemplo, tenga su propio sistema educativo muy diferenciado del de Inglaterra, y sujeto ahora a un control político también distinto, ha dado pie al argumento de que no existe ninguna razón especial para que los escoceses tengan que compartir delegación con los ingleses, galeses y norirlandeses. Se ha planteado el mismo argumento en el País Vasco y Cataluña, y es un tema de actualidad en Bélgica. Según el acuerdo de paz de Irlanda del Norte, se crean múltiples ámbitos para difundir la soberanía, incluyendo el Consejo Británico-Irlandés —una organización que abarca una amplia gama de entidades soberanas, no soberanas y semisoberanas, incluyendo los estados británico e irlandés, el parlamento escocés, las asambleas galesa y norirlandesa, la isla de Man y las islas del Canal.

Esta actitud no es solamente el producto de un autointerés materialista y, ciertamente, la adopción de un régimen de libre comercio podría ser una fuente de contradicción y conflicto con coaliciones nacionalistas. Los sindicatos de Quebec han apoyado la soberanía dentro de la NAFTA en tanto que nacionalistas, al mismo tiempo que se oponen a ella en tanto que sindicalistas. Los agricultores de Quebec han dado su apoyo a la soberanía, a pesar de que si estuvieran expuestos a las normas de la NAFTA ello sería devastador para la mayoría de ellos. Los nacionalistas escoceses y vascos son entusiastas de la UE, aunque se oponen a muchas de sus políticas en ámbitos tan importantes como la pesca, la agricultura y la competencia. No todos los nacionalistas minoritarios comparten la misma visión del régimen transnacional. El SNP es partidario de una UE intergubernamental, con el poder en manos de los estados miembro. *Convergència i Unió* está mucho más a favor de una Europa supranacional, lo cual debilitaría el estado español sin necesidad de la secesión. *Plaid Cymru* y *Esquerra Republicana de Catalunya* son más utópicos, buscando una nueva Europa en la cual los anticuados estados desaparezcan. Entre los principales partidos nacionalistas de España existen importantes diferencias: el PNV, que busca la definitiva independencia vasca en Europa; CiU, que prefiere reconstruir el estado español sobre una base plurinacional; y el *Bloque Nacionalista Galego*, que conserva una residual pero fuerte desconfianza hacia Europa. Estos tres partidos pudieron emitir una serie de declaraciones comunes en 1998, empezando con la de Barcelona, pero estas declaraciones apenas ocultaron las diferencias entre sus perspectivas.

2.2. EL NACIONALISMO DEL DESARROLLO

Con el abandono de la antigua forma de estado y la adopción del libre comercio y la globalización, los nuevos nacionalismos minoritarios tienen que enfrentarse al reto de introducir sus economías en el nuevo orden económico sin someterse totalmente a él. Con el debilitamiento de la capacidad del estado de llevar a cabo políticas de gestión macroeconómica a causa de nuevas tendencias globales, el énfasis se ha trasladado a las políticas microeconómicas, la innovación, el empresariado y la formación. Una creciente serie de estudios ha subrayado la importancia de los sistemas territoriales de producción, situados al nivel local o regional y capaces de lograr un equilibrio entre la competencia y la cooperación, estimulando la producción de bienes y de externalidades positivas (Storper, 1997). La expresión, algo imprecisa, «capital social», se ha utilizado para describir el potencial para la solución de problemas y para la cooperación social en sociedades territoriales. Éste es un elemento clave en el «nuevo regionalismo» (Keating, 1998) que busca construir regiones como sistemas de regulación social y acción colectiva por debajo y al lado del estado-nación, priorizando las necesidades de desarrollo en una economía globalizada.

Esta clase de regionalismo del desarrollo y el nacionalismo minoritario son, en muchos casos, complementarios. El nacionalismo proporciona la razón fundamental para la cooperación social y el fomento de un modelo económico territorial se ha convertido en una parte esencial del *nation-building*. El mejor ejemplo se encuentra en Quebec donde, durante la Revolución Tranquila, se fomentó una clase empresarial autóctona, con un estado intervencionista y vínculos cuasi-corporativistas entre el gobierno, el mundo empresarial y los sindicatos (Latouche, 1991). Llamada de forma engañosa y exagerada «Quebec Inc.», fue una forma de nacionalismo de desarrollo ideado, en primer lugar, para recuperar el control de la economía de los intereses anglófonos de Canadá y, en segundo lugar, para gestionar la entrada de Quebec en el comercio norteamericano y mundial. Últimamente se ha cuestionado este modelo, sobre todo en relación a los efectos de la globalización e internacionalización de las empresas de Quebec sobre la cohesión de la coalición de desarrollo. Otros críticos se quejan de que el cambio hacia políticas neoliberales por parte de sucesivos gobiernos quebequeses, del Partido Liberal y del PQ, ha debilitado el modelo. Sus defensores, por otra parte, argumentan que es precisamente en un contexto de globalización cuando este tipo de cohesión es más valioso. Flandes ha imitado este modelo de forma consciente a través del fomento de pequeñas empresas flamencas, en un contexto marcado por el declive de las viejas industrias pesadas valonas. En este caso se parte de la ventaja de que las tendencias económicas generales han favorecido a Flandes, devolviéndole su papel histórico de centro de comercio europeo.

El País Vasco ha sido activo en política industrial, explotando tanto la flexibilidad de su sistema fiscal especial como las redes de cooperación entre empresarios vascos. En Cataluña, las políticas han sido menos intervencionistas, pero el objetivo de fomentar la presencia de Cataluña en los mercados europeos ha sido un lema de la cooperación social y de la gestión. El modelo histórico de Cataluña como una nación comercial medieval ha servido de mito movilizador para el proceso de *nation-building* en condiciones modernas. La identidad galesa ha sido fraguada hasta cierto punto con el énfasis puesto en Gales como una región económica europea, y no exclusivamente en el tema lingüístico. Se ha hecho un gran esfuerzo en demostrar la idoneidad de las tradiciones galesas de cooperación social y solidaridad para las necesidades de una región en proceso de aprendizaje. Esta adaptación del carácter galés a las condiciones actuales explica la victoria, aunque por escaso margen, en el referéndum de 1997 sobre la *devolution*, en contraste con la aplastante derrota de 1979. En Escocia, el regionalismo de desarrollo tiene una larga historia. Los esfuerzos para una regeneración económica se remontan a los años sesenta, deviniendo un factor importante para fortalecer la identidad escocesa y dotarla de un significado económico contemporáneo. Este programa fue gestionado antes de 1999, no por nacionalistas, sino por departamentos descentralizados del estado británico. Sin embargo, sirvió para reforzar la identidad escocesa, convirtiéndose en un ejemplo de nacionalismo del desarrollo.

2.2.1. *Creación de instituciones*

Finalmente, existe la dimensión de la creación de instituciones. Las naciones sin estado se han beneficiado de la tendencia funcional hacia la descentralización política y la regionalización en los países occidentales desde finales de los años sesenta (Keating, 1998). Incluso un estado que se opuso durante mucho tiempo a la descentralización, como el Reino Unido, se ha visto obligado a crear instituciones administrativas y sociales regionales. También ha procedido a la descentralización administrativa, en Escocia y Gales, para desviar demandas de descentralización política. Una estrategia que acabó siendo un tiro por la culata ya que el efecto de la descentralización administrativa fue potenciar la relevancia de Escocia y Gales como unidades de gobierno. En España, Canadá y Bélgica se ha procedido a una descentralización política como respuesta a las demandas de los nacionalistas minoritarios, una estrategia que últimamente se ha extendido al Reino Unido. Simultáneamente, existe una tendencia en las instituciones de la sociedad civil, incluidas las asociaciones empresariales, los sindicatos, las entidades culturales y sociales, a fortalecer su carácter distintivo dentro de la nación minoritaria, consolidando aún más el sentido de identidad nacional.

Puesto que el *nation-building* es un proceso muy desigual, este hecho ha provocado demandas de concesiones asimétricas y, en distinto grado, de gobierno asimétrico. La Constitución española de 1978 permite la asimetría al posibilitar, pero no exigir, que todas las regiones se conviertan en comunidades autónomas, estableciendo para ello vías rápidas y lentas. Los gobiernos españoles siempre han procurado que el proceso sea simétrico, frenando a las regiones fuertes y estimulando a las débiles. Sin embargo, el proceso de institucionalización está más avanzado en las tres regiones históricas y Navarra. En Canadá el debate se ha polarizado de modo similar entre los que apoyan y los que se oponen a un reconocimiento específico para Quebec (McRoberts, 1997). No obstante, Quebec ha asumido muchas de las competencias de un gobierno nacional, mientras que otras provincias no lo han hecho. Su sociedad civil está también muy diferenciada. La constitución belga es sumamente compleja, con sus disposiciones para una descentralización basada en el territorio y en las comunidades. En la práctica, es asimétrica ya que el gobierno y el parlamento flamencos han logrado un grado de coherencia institucional más alto que sus homólogos valones/francófonos. Bruselas es gestionada por otro nivel de complejidad que abarca los gobiernos de las comunidades y su propio gobierno regional. En el Reino Unido, la sociedad civil siempre ha estado altamente diferenciada, sobre todo entre Inglaterra y Gales por un lado y Escocia por otro. Desde 1999 este hecho está reflejado en la normativa constitucional, que creó un parlamento legislativo escocés y una asamblea administrativa galesa, mientras Inglaterra se mantiene bajo el control directo del parlamento de Westminster y los ministerios de Whitehall. El acuerdo de paz de Viernes Santo en Irlanda del Norte estableció una organización altamente compleja y asimétrica, tratando la provincia como un problema *sui generis* y permitiendo que sus ciudadanos se identificasen con uno o con ambos estados vecinos.

2.2.2. *El Estado en evolución*

Los nacionalismos minoritarios nuevos y reemergentes son desiguales en su impacto y variados en sus contenidos y demandas. Por lo tanto, no hay ningún modelo nuevo a la vista para sustituir el estado-nación clásico. Más bien vemos una pluralidad de movimientos que están intentando abrirse un espacio en el orden estatal e internacional emergente. Las respuestas del estado a este proceso varían mucho, pero dos de ellas son aquí de especial interés: una mayor descentralización que dé más poder a las naciones minoritarias y, algo mucho más difícil, una reconstrucción simbólica del estado y de la nación para reconocer el principio de la identidad múltiple y de múltiples nacionalidades.

La descentralización funcional puede acomodar muchas de las más importantes demandas de los nacionalistas minoritarios. Se pueden descentralizar y territorializar las políticas lingüísticas y culturales, tal como se ha hecho en los cuatro estados que son el objeto de este capítulo. Se puede descentralizar la política de desarrollo según la lógica funcional del nuevo pensamiento de desarrollo regional. Se pueden traspasar otras cuestiones hacia arriba, hacia los regímenes transnacionales. Sin embargo, la descentralización no soluciona todos los problemas y en el caso de sociedades divididas es posible que sea necesaria una soberanía y descentralización más compartida con las comunidades culturales. Ciertamente, más allá de cierto punto es posible que la descentralización termine por destruir el estado, tal como está pasando en Bélgica, por dos razones. A medida que se van devolviendo competencias a las regiones y comunidades y a la UE, el estado se está volviendo funcionalmente redundante y solamente existe para gestionar problemas comunes, como la cuestión de Bruselas, en lugar de expresar una voluntad nacional. Al mismo tiempo, a medida que las elites basadas en las regiones y comunidades se van apoderando del sistema político nacional, destruyen la idea de una clase política belga. No está claro que un estado pueda sobrevivir como un mero *holding* para las funciones que no pueden ser trasladadas a ningún otro sitio o que nadie quiere.

En Canadá, el nacionalismo quebequés se enfrenta a un proyecto de *nation-building* que tiene aproximadamente la misma antigüedad. Ninguna de las dos partes puede permitirse hacer las concesiones simbólicas que son necesarias para la coexistencia. Es este ámbito simbólico, más que las cuestiones de descentralización funcional, el que ha llevado al callejón sin salida que caracteriza la cuestión Quebec-Canadá. Asimismo, en España, existe una división entre aquellos que están preparados para devolver competencias de una manera simétrica a todas las comunidades autónomas, y de esta manera dotar a Cataluña, el País Vasco y Galicia de más poder efectivo, y aquellos otros que entienden que se trata de una cuestión que concierne al mismo carácter del estado, ya sea como un estado-nación uniforme, ya sea como una federación plurinacional. La Constitución de 1978 esquiva la cuestión hablando de la unidad indisoluble de la nación española, pero también de las nacionalidades y regiones que la componen. La idea de que el término «nacionalidades» suponía un reconocimiento de la condición especial de Cataluña, el País Vasco y Galicia se vio debilitada cuando se utilizó también en el caso de Aragón y las Islas Canarias. Tal como hemos señalado, el Partido Laborista fue uno de los firmantes de la declaración de soberanía escocesa en la Convención Constitucional y luego, ya gobernando, insistió en que la *devolution* escocesa de ninguna manera abrogaba la soberanía del Parlamento británico central. Estas cuestiones no son mera semántica. Sostener el reconocimiento simbólico de una nacionalidad supone que una nación, en contraste con una simple región, goza de ciertos derechos intrínsecos de autodeterminación, los cuales, aunque no otorgan automáticamente un derecho de secesión unilateral, dotan a la nación de un derecho para negociar su acomodación dentro del estado.

Todavía hay una gran reticencia a reconocer la categoría de nación-sin-estado como una entidad estable y viable. Muchos científicos sociales insisten en que el objetivo del nacionalismo debe ser la consecución de un estado y que, si los nacionalistas lo niegan, es mero subterfugio. Normalmente, esto está basado en la presunción «realista» de que los nacionalistas maximizarán su poder e influencia a través de la secesión. Sin embargo, es razonable argumentar que en algunas circunstancias los nacionalistas, como actores racionales, evitarán el separatismo como algo demasiado costoso y que provocaría resistencias no solamente para el mismo separatismo sino también para sus reivindicaciones más moderadas. Entre los nacionalistas catalanes existe el convencimiento que la mejor manera de fomentar la autonomía y el *nation-building* es precisamente no hablar de la secesión o siquiera pensar en ella (Puig, 1998).

Muchos nacionalistas minoritarios todavía se aferran al modelo estatal como el único que permite un reconocimiento aceptado de la idea de la nación. Un punto de vista compartido por las elites estatales, sobre todo en las comunidades mayoritarias, cuando equiparan el derecho de autodeterminación al de secesión. Un ejemplo de esto fue la Consulta al Tribunal Supremo por parte del gobierno de Canadá en relación a la cuestión sobre si Quebec tenía derecho de separarse unilateralmente. El Tribunal complació a los partidarios de la línea dura de ambos bandos al fallar que sí que tenía este derecho, pero solamente bajo condiciones muy difíciles. Lo que no trató fue la cuestión planteada por las sucesivas negociaciones constitucionales sobre si Quebec tenía el derecho a la autodeterminación y a negociar una nueva posición dentro del estado canadiense. Al insistir que los estados han de ser naciones, y las naciones estados, los líderes estatales están paradójicamente fomentando tendencias secesionistas (Jáuregui, 1997). Ha quedado bastante patente, por ejemplo, que gran parte de la población que votó «Sí» en el referéndum de 1995 en Quebec no querían la independencia de Quebec, pero sí hacer valer el derecho a negociar su status. Estos votantes se ven constantemente frustrados por los nacionalistas canadienses y quebequeses que insisten que las únicas opciones son la independencia o ser una provincia igual que las otras. Paradójicamente, el Reino Unido, que hasta hace poco había concedido menos *devolution* funcional que los otros casos, se ha mostrado más dispuesto a hacer estas concesiones simbólicas. Los unionistas irlandeses y escoceses del siglo XIX no argumentaban que sus sociedades no fueran naciones, sino que, en tanto que naciones, su futuro estaba más asegurado dentro del Reino Unido. Sin embargo, en otro sentido llegaron a las mismas conclusiones: Escocia e Irlanda, en tanto que naciones, utilizarían su capital simbólico para desafiar al Reino Unido y a la doctrina de la soberanía parlamentaria. A pesar de que el Reino Unido ha concedido el autogobierno, de manera distinta, a Escocia y Gales, y ha empezado un proceso abierto de traspaso de competencias a Irlanda del Norte, continúa diciendo que ninguna de estas concesiones abroga el principio de la soberanía parlamentaria. No obstante, combinada con una mayor integración europea, esta afirmación se está convirtiendo cada vez más en un eslogan vacío.

En definitiva, estamos en el umbral de una época de soberanía difusa y gobierno complejo en la cual algunas minorías territoriales pueden invocar el principio de nacionalidad, adaptado a la era global, para reivindicar el autogobierno y construir sistemas de acción tanto en la sociedad civil como en el estado. Las consecuencias de ello son otra cuestión que queda más allá del tema de este capítulo (Keating, 1999, a, b). El futuro parece tender hacia un estado cada vez más asimétrico dentro de unos órdenes supranacionales también asimétricos, sobre todo en Europa, con el fin de acomodar las demandas opuestas de nacionalidad y de autodeterminación. La flexibilidad de tal sistema es, según sus críticos, un elemento de inestabilidad ya que los líderes nacionalistas y de otros territorios intentarán superarse entre sí. Pero esta tendencia encuentra un mecanismo correctivo en la integración europea, la cual ha hecho que los nacionalistas moderasen sus demandas, además de proporcionar un nuevo sistema de regulación por encima de la nación. Es probable, por lo tanto, que el proceso de integración europea y de relajación del marco estatal continúen desarrollándose paralelamente. En Canadá, donde no existe ningún equivalente al orden político europeo, la política nacionalista se parece más a un juego de suma cero y el resultado podría ser más conflictivo.

Referencias

Anderson, B. (1983): *Imagined Communities: Reflections on the Origins and Spread of Nationalism*, Londres: Verso.
Badie, B. (1995): *La fin des territoires. Essai sur le désordre international et sur l'utilité sociale du respect*, París: Fayard.

Biorcio, R. (1997): *La Padania Promessa*, Milán: Il Saggiatore.

Breuilly, J. (1985): *Nationalism and the State*, Manchester: Manchester University Press.

Brown, A., D. McCrone y L. Paterson (1998): *Politics and Society in Scotland*, 2nd edn., Londres: Macmillan.

Bullman U. (ed.) (1994): *Die Politik der Dritten Ebene*, Baden-Baden: Nomos.

Camilleri, J. y J. Falk (1992): *The End of Sovereignty? The Politics of a Shrinking and Fragmenting World*, Aldershot: Edward Elgar.

Castells, Manuel (1997): *The Information Age: Economy, Society and Culture. Volume 1, The Power of Identity*, Oxford: Blackwell.

De La Granja, J. L (1995): *El nacionalismo vasco: un siglo de historia*, Madrid: Tecnos.

Dahrendorf, R. (1995): *Preserving Prosperity, New Statesman and Society*, 13/29 Diciembre.

De Wachter, W. (1996): *La Belgique d'aujourd'hui comme societé politique*, en A. Dieckhoff (ed.): *Belgique. La force de désunion*, París: Editions Complexe.

García Ferrando Manuel, Eduardo López-Aranguren y Miguel Beltrán (1994): *La conciencia nacional y regional en la España de las autonomías*, Madrid: Centro de Investigaciones Sociológicas.

Hobsbawm, E. (1990): *Nations and Nationalism since 1780*, Cambridge: Cambridge University Press.

— (1992): *Nationalism. Whose fault-line is it anyway?*, Anthropology Today, febrero 1992.

— y T. Ranger (eds.) (1983): *The Invention of Tradition*, Cambridge: Cambridge University Press.

Jones B. y M. Keating (eds.) (1995): *The European Union and the Regions*, Oxford: Oxford University Press.

Keating, M. (1998): *The New Regionalism in Western Europe. Territorial Restructuring and Political Change*, Aldershot: Edward Elgar.

— (1988): *State and Regional Nationalism. Territorial Politics and the European State*, Londres: Harvester-Wheatsheaf.

— (1996): *Nations against the State. The New Politics of Nationalism in Quebec, Catalonia and Scotland*, Londres: Macmillan.

— (1997): «Stateless nation-building: Quebec, Catalonia and Scotland in the changing state system», *Nations and Nationalism*, 3.4, pp. 689-717.

— (1999a): «Le gouvernement asymétrique. Principes et problèmes», *Politique et Sociétés* (en prensa).

— (1999b): «The Rise of the Asymmetrical State», *Publius* (en prensa).

— y L. Hooghe (1996): «By-passing the Nation State? Regions in the EU Policy Process», en J. J. Richardson (ed.): *Policy Making in the European Union*, Londres: Routledge.

Kerremans, B. (1997): «The Flemish Identity: Nascent or Existent?», *Res Publica*, XXXIX.2, pp. 303-314.

Latouche, D. (1991): «La stratégie québécoise dans le nouvel ordre économique et politique internationale», *Commission sur l'avenir politique et constitutionnel du Québec, Document de travail numéro 4*, Quebec: Commission.

Lipset, S.M y D. Rokkan (1967): *Party Systems and Voter Alignments*, Nueva York: Free Press.

Martin, P. (1997): «The Politics of Free Trade in Quebec», en M. Keating y J. Loughlin (eds.): *The Political Economy of Regionalism*, Londres: Frank Cass.

McRoberts,K (1997): *Misconceiving Canada. The Struggle for National Unity*, Toronto: Oxford University Press.

Moral, Félix (1998): «Identidad regional y nacionalismo en el Estado de las autonomías, *Opiniones y Actitudes*, 18, Madrid: Centro de Investigaciones Sociológicas.

Oneto, G. (1997): *L'invenzione della Padania. La rinascita della communità più antica d'Europa*, Ceresola: Foedus.

Petschen, S. (1993): *La Europa de las regiones*, Barcelona: Generalitat de Catalunya.

Puig i Scotoni, P. (1998): *Pensar els camins a la sobirania*, Barcelona: Mediterrània.

Renaut, A. (1991): «Logiques de la nation», en G. Delannoi y P-A. Taguieff (eds.): *Théories du Nationalisme*, París: Kimé.

Rokkan, S. y Urwin, D. W. (1982): *The Politics of Territorial Identity: Studies in European Regionalism*, Sage, Londres.

— (1983): *Economy Territory Identity: Politics of West European Peripheries*, Sage, Londres.

Sangrador García, José Luis (1996) «Identidades, actitudes y estercotipos en la España de las Autonomías», *Opiniones y Actitudes, 10*, Madrid: Centro de Investigaciones Sociológicas.

Smith, A. (1991): *National Identity*, Londres: Penguin.

Spruyt, H. (1994): *The Sovereign State and its Competitors*, Princeton: Princeton University Press.

Storper, M. (1997): *The Regional World. Territorial Development in a Global Economy*, Nueva York: Guildford.

Tilly, C. (1975): *The Formation of National States in Western Europe*, Princeton: Princeton University Press.

— (1990): *Coercion, Capital and European States, AD 990-1990*, B. Blackwell, Oxford.

Touraine, A. (1992): *Critique de la modernité*, París: Fayard.

PARTE II

PLURALISMO NACIONAL
E INSTITUCIONES DEMOCRÁTICAS

CAPÍTULO 3

IGUALDAD Y PLURALISMO NACIONAL

Enric Fossas

En este capítulo expondré algunas reflexiones sobre los diversos aspectos de la igualdad en los Estados federales, especialmente en aquellos de carácter plurinacional, e intentaré demostrar que a pesar de la tendencia hacia la homogeneidad de la mayoría de sistemas federales modernos, el federalismo permite aún hoy una cierta diversidad que no se da en los Estados unitarios. Sin embargo, como explicaré, el desarrollo de estructuras federales en Estados plurinacionales es especialmente difícil y sigue chocando, en muchos aspectos, con la concepción de la igualdad que acompaña al Estado Nación.

Empezaré introduciendo algunas precisiones conceptuales sobre la idea de Estado federal multinacional y sobre el concepto de igualdad (1). Después seguiré con los tres aspectos de la relación entre federalismo multinacional e igualdad que van a ser examinados: la igualdad entre entidades o pueblos fundadores de la federación (2), la igualdad entre las unidades que integran un Estado federal (3), y la igualdad entre los ciudadanos de una federación (4). Finalizaré con algunas conclusiones que pueden extraerse de la exposición (5).

1. Precisiones conceptuales

Ciertamente, para poner en relación el federalismo y la igualdad conviene realizar algunas acotaciones sobre los dos conceptos puesto que se trata de términos de amplio espectro, que no están sujetos a una definición precisa. En este sentido, puede decirse que se trata de dos conceptos-valor que tienen un tono propio y se orientan en una dirección determinada (Elazar, 1987). Como otros conceptos jurídicos-políticos, son conceptos simbólicos y combativos que encuentran su *ratio* no tanto en la voluntad de conocimiento como en su adecuación instrumental para la controversia con el adversario (García Pelayo, 1984: 33).

Dada esta circunstancia, me parece acertada la distinción entre federalismo, sistemas políticos federales y federación (Watts, 1994: 8). El primero sería un concepto normativo, que expresa la idea según la cual la organización política debe lograr al mismo tiempo la integración política y la libertad política, combinando el gobierno compartido en determinadas materias, con la autonomía en otras materias. El segundo sería un término descriptivo para referirse a un género de organizaciones políticas establecidas para la combinación del gobierno compartido y el autogobierno (Federaciones, Confederaciones, *Federacy*, Uniones, Ligas). El tercer concepto designaría una especie dentro del género anterior, en concreto, aquel sistema político inventado en Filadelfia en el año 1787 por los padres fundadores de los Estados Unidos de América, y que después se extendería a otros países como Canadá, Australia, Alemania, India, Suiza o Brasil. A esta forma específica, la federación, nosotros le llamamos Estado federal, y a pesar de las variaciones que ofrece a través de los diversos países, presenta una serie de características comunes: se trata de una estructura y un proceso de gobierno que establece la unidad mientras preserva la diversidad, integrando constitucionalmente a comunidades políticas previamente separadas en una nueva comunidad política en la cual el poder se encuentra dividido y compartido entre un gobierno general con responsabilidades nacionales y unos gobiernos constituyentes que disponen de responsabilidades locales (Kincaid, 1991: 392).

A partir de aquí podemos realizar todavía dos distinciones. En primer lugar entre federalismo integrativo y federalismo devolutivo (Lenaerts, 1990: 206). El primero designa un orden constitucional que persigue la unidad desde la diversidad entre entidades previamente independientes o relacionadas confederalmente. El sistema es perfectamente capaz de reconocer la existencia de un pluralismo social entre las distintas entidades componentes. El segundo se refiere a un orden constitucional que redistribuye el poder entre entidades componentes de un previo Estado Unitario, y su principal objetivo es organizar la diversidad desde la unidad.

La otra distinción es entre el federalismo territorial y el federalismo plurinacional (Resnick, 1994; Kymlicka, 1998). El primero es aquel que se adopta como una forma de organizar el poder en un territorio amplio y diverso, con independencia de la composición etnocultural de la población, y con la finalidad de proporcionar mayor eficacia al gobierno, más proximidad del poder a los ciudadanos y una mayor garantía de su libertad, lo cual se consigue dividiendo el poder territorialmente. Sería el caso de los EE.UU., Australia o Alemania. El segundo es el que persigue acomodar en un mismo espacio político a diversas comunidades nacionales que reclaman el reconocimiento de su identidad diferenciada y reivindican un nivel de autogobierno suficiente para garantizar el mantenimiento y el desarrollo de aquélla, como en el caso de Canadá, Bélgica y España.

Por otra parte, la igualdad puede considerarse un principio general de la organización del Estado constitucional porque se encuentra en su misma base, y es asimismo un derecho subjetivo que se garantiza a todos los ciudadanos en un sistema liberal democrático. En las dos vertientes, como principio y como derecho, se trata de un concepto que históricamente ha sido formulado diversamente, y así sucede todavía hoy, como lo demuestra el hecho de que las «igualdades» (Sartori, 1992: 89) están en el centro del debate actual sobre la justicia que mantiene la filosofía política y moral.

En mi exposición, entiendo la igualdad como un concepto «relacional» (Rubio Llorente, 1993: 640), es decir, que pone en relación al menos dos personas, dos objetos o dos situaciones, y hace referencia al trato o consideración que los poderes públicos mantienen hacia ellos. En este sentido, podemos distinguir entre la igualdad jurídica, para referirnos a la de todos los ciudadanos ante la ley y su aplicación; a la igualdad política, para señalar aquella que atañe al acceso y ejercicio del poder público en un Estado democrático; y la igualdad económica, para designar la que se refiere a la distribución equitativa de cargas y beneficios que soportan u obtienen de los poderes públicos los miembros de una comunidad.

Como he señalado, las tres igualdades que analizaré son las que hacen referencia a las entidades o pueblos fundadores de la Federación, a las unidades que integran un Estado federal, y a la igualdad de los ciudadanos en los tres aspectos que acabo de mencionar. Al mismo tiempo intentaré poner de relieve la importancia que en la concepción de estas tres igualdades tiene el carácter plurinacional de la federación.

2. La diversidad entre entidades fundadoras

El federalismo vincula la creación de un cuerpo político a un pacto *(foedus)*, a una asociación voluntaria entre sujetos o entidades previas e iguales. Este modelo de alianza se contrapone a otros dos modelos: la conquista y la evolución orgánica (Elazar, 1987). El modelo de pacto pone el acento en la unión entre entidades iguales, de tal forma que una vez creado el nuevo cuerpo político todas ellas conserven los mismos derechos. A pesar de ello, si contemplamos la experiencia histórica de algunas federaciones, el principio de igualdad entre entidades fundadoras no se cumple plenamente.

Así, en el caso de los Estados Unidos de América, los doce Estados firmantes de la Convención de Filadelfia (1787) proclamaron el principio de igualdad entre ellos, pero la mayoría de Estados constituyentes se pronunció en contra de la igualdad para cuando se planteara la admisión de nuevos miembros en la Unión (Madison, 1908: 89). Sólo posteriormente, y a pesar de no figurar en el texto constitucional, la jurisprudencia del Tribunal Supremo americano ha sentado el principio de igualdad entre los Estados «*in power, dignity and authority*» (*Coyle v. Oklahoma* [1911] 221 U.S. 559, 576). Los Estados Unidos de América constituyen un ejemplo de federalismo integrativo y territorial: surgen de la unión de las trece colonias preexistentes, si bien ninguna de ellas estaba controlada por una minoría nacional; y la división de poderes dentro del sistema federal no estaba diseñada para acomodar divisiones etno-culturales (Kymlicka, 1996). Como es sabido, la naturaleza de esa unión fue objeto de discusión, e incluso de conflicto, pero buena parte de los padres fundadores, como Hamilton, vieron en la Constitución no sólo un régimen de libertad sino también y especialmente *the promise of nationhood* (Beer, 1994: 4). Como puede leerse en *El Federalista*, los partidarios del federalismo transformaron el término «federal», tal como se entendía entonces, y describieron el nuevo sistema como «nacional y al mismo tiempo federal».

Canadá fue creado como una confederación de cuatro colonias británicas —Nueva Escocia, Nueva Brunswick, Bajo Canadá (Quebec) y Alto Canadá (Ontario)— bajo la forma de un *Dominion* británico a través de la *British North America Act* de 1867. Pero al igual que los Estados Unidos, la naturaleza de esa unión constitucional ha sido objeto de controversia entre visiones opuestas (Rocher-Smith, 1995: 45): la llamada «compact theory» ve a Canadá como una creación de las Provincias, que se mantendrían en pie de igualdad entre ellas, y en relación al Gobierno federal. Sin embargo, la federación resultante es un ensamblaje irregular y multiforme ya que la igualdad que incorpora no es la identidad de las instituciones políticas y jurídicas, sino el igual reconocimiento y autonomía de las diversas formas de autogobierno provincial; esa irregularidad de la federación aún se incrementó cuando se incorporaron otras Provincias (Tully, 1195). A la anterior concepción se contrapone la «dualist vision», que ve la confederación como un pacto entre dos naciones fundadoras («*deux peuples fondateurs*») en referencia a la mayoría anglófona protestante, de una parte, y a la minoría francófona católica, de otra. La concepción de Canadá como una federación de dos nacionalidades en pie de igualdad adquirió fuerza a partir de la llamada Revolución Tranquila, y está subyacente en muchas de las reivindicaciones que el nacionalismo quebequés mantiene desde entonces. Como diré más adelante, este conflicto de visiones se encuentra en la base del debate constitucional canadiense sobre el federalismo asimétrico.

En Alemania, la Constitución imperial de 1871 no se articuló bajo el principio de igualdad de los Estados, sino que contenía un estatuto especial a favor de Baviera, Bade y Wurtemberg que comportaba una mayor autonomía en relación a los Estados del Sur. Asimismo, dada su preponderancia demográfica y política, Prusia disponía de un estatuto especial que incluía, entre otras prerrogativas, una sobrerrepresentación en el *Bundersrat* o Cámara Alta.

La cuestión de la igualdad entre los Estados fue objeto de atención por parte de la doctrina alemana ius publicista. Laband escribió que, efectivamente, el carácter federal del mismo Imperio alemán descansaba sobre la existencia de Estados iguales en Derecho, pero que de ello no se deducía la imposibilidad de acordar a ciertos Estados unos derechos particulares que no agravaran las cargas y los deberes de los otros Estados. Estos derechos particulares (*jura singularia*) constituyen derechos de los

Estados miembros en relación al conjunto, y desde el punto de vista de su contenido pueden consistir en limitaciones a la competencia del Imperio (Baviera), situaciones de privilegio de ciertos Estados dentro de la organización del Imperio (Prusia), o privilegios de tipo financiero. La característica común de todos ellos estriba en que no pueden ser suprimidos sin el consentimiento del Estado interesado.

Según Laband (1900: 185), no deben confundirse los derechos particulares (*jura singularia*), con los derechos de los Estados miembros en cuanto tales (*jura singulorum*), es decir, aquella parte del poder estatal que cada Estado ejerce como persona de Derecho público y que no corresponde al Imperio. Alemania constituye un ejemplo de Estado Nación con una identidad política preexistente puesto que los alemanes se sentían nación antes de disponer de un Estado germánico único, y buscaron la unidad política en el seno de ese Estado con la finalidad de expresar precisamente sus vínculos nacionales.

Los ejemplos expuestos ponen de manifiesto que la idea de igualdad entre entidades políticas constituyentes de un Estado Federal no se ha dado estrictamente en la realidad histórica. Ello seguramente puede explicarse por el hecho de que las primeras organizaciones federales, pero también las no federales, todavía arrastraban restos del pactismo y del contractualismo propios de los sistemas políticos premodernos, caracterizados por la diversidad de formas de articulación política presentes en el territorio. La evolución del Estado moderno se realizará en una dirección contraria a esta asimetría constitucional, básicamente por la presión de tres fuerzas: el impulso modernizador e intervencionista del mismo Estado, la democratización y sus implicaciones para la igualdad civil, y la doctrina jacobina de la unidad nacional (Keating, 1998: 93). La tendencia hacia la unificación y la uniformización culminó con el fenómeno del Estado Nación (Guibernau, 1996: 57), al que precisamente pretende dar respuesta el federalismo.

Curiosamente, a principios del siglo XXI, las demandas de reconocimiento cultural por parte de grupos, comunidades y colectivos minoritarios, y especialmente, las reivindicaciones de las minorías nacionales, ponen en cuestión los esquemas constitucionales de esta forma de organización política, e incluso evidencian los límites del federalismo para acomodar realidades plurinacionales. El debate a propósito de la igualdad entre las unidades federadas, es decir, sobre la asimetría federal, se ha planteado precisamente en las federaciones plurinacionales, como explicaré seguidamente.

3. La igualdad entre las unidades de un Estado federal plurinacional

La cuestión de la igualdad entre los Estados miembros de una federación fue abordada por primera vez de forma especulativa en el conocido artículo de Ch.D. Tarlton, «*Symmetry and asymmetry as elements of federalism. A theoretical speculation*» (1965: 861). El autor criticaba algunos de los principales enfoques académicos que habían estudiado el federalismo por entender que todos ellos habían tratado los sistemas federales «*as a whole*», aceptando que los Estados miembros comparten idénticas relaciones con el Gobierno federal, cuando la realidad demuestra que «un sistema puede ser más o menos federal a través de sus partes». De ahí la importancia que, según Tarlton, debía darse a las diversas maneras en que cada unidad federada puede relacionarse con el conjunto del sistema, con la autoridad central, y con las restantes unidades. Precisamente, la homogeneidad en estas relaciones es lo que define un sistema federal como «simétrico», mientras su ausencia lo configura como «asimétrico». El hecho de que la relación de un Estado miembro sea simétrica o asimétrica depende de que éste comparta en mayor o menor grado las características sociales, culturales, económicas y políticas del sistema federal del que forma parte. Entre estas características, el autor no señala el posible carácter nacional de un Estado miembro, por la sencilla razón de que su reflexión, a pesar de ser teórica, se sitúa en el contexto del federalismo norteamericano que, como se ha dicho, no constituye un ejemplo de federalismo plurinacional.

Sin embargo, las principales reflexiones que con posterioridad se han realizado sobre la asimetría federal, han vinculado ésta al carácter plurinacional del Estado y, en consecuencia, han tenido lugar en el contexto de Estados donde su composición nacional no está definitivamente resuelta y es objeto de discusión pública. En el marco de las democracias occidentales, los países donde se ha desarrollado más intensamente este debate han sido Canadá, España y Bélgica, ya que en el seno de cada uno de ellos existen unidades políticas territoriales que se autoidentifican como «comunidades nacionales» (Quebec, Flandes, Cataluña y El País Vasco), y que coexisten con otras unidades que se representan como «regiones» de la nación estatal. Por otro lado, este fenómeno tiene una expresión política por la presencia en esos territorios de fuerzas nacionalistas que por lo general persiguen dos objetivos: el reconocimiento político y constitucional de la identidad diferenciada de estas comunidades, y un autogobierno político para su mantenimiento y desarrollo como realidades nacionales. Cabe destacar que en los tres casos estas fuerzas nacionalistas, además de estar fuertemente implantadas en los respectivos territorios, juegan un papel decisivo en el conjunto del sistema político estatal (Fossas-Requejo, 1999).

En estos países, la asimetría *de facto* que supone la composición plurinacional del Estado, tal como se ha descrito, ha llevado a plantear la posibilidad de una asimetría *de iure*, es decir, el establecimiento de diferencias jurídico-formales entre las unidades de una federación en relación a sus poderes y obligaciones, a la forma de las instituciones centrales, o a la aplicación de las leyes y los programas federales. Desde el punto de vista constitucional, la asimetría supone la posibilidad de establecer un trato jurídico-constitucional diferenciado de uno o diversos territorios, de tal forma que escapen al principio según el cual todos los miembros de la federación están sujetos a un régimen uniforme de sus instituciones y derechos. La asimetría federal puede manifestarse en diversos aspectos: la posición o naturaleza constitucional de las unidades, la organización de sus instituciones políticas internas, la estructura de los ordenamientos jurídicos subestatales, el grado de poder político de los Estados federados, la participación en las instituciones centrales y en la reforma de la Constitución, o su sistema de financiación.

En este punto, no debe confundirse la asimetría con la autonomía, propia de todos los sistemas federales (Fossas, 1995: 97). En efecto, todos ellos se basan en la conocida idea «*self-rule plus shared rule*» que, por sí misma, es ya generadora de diversidad puesto que implica la posibilidad de que los entes territoriales adopten decisiones diferentes sobre los mismos asuntos en distintas partes del territorio. Desde el punto de vista estructural, resulta claro que un sistema donde la mayoría de asuntos son decididos por los entes territoriales estará dotado potencialmente de mayor diversidad, dado que aquéllos podrán adoptar normas y políticas diferentes sobre muchas cuestiones. En este sentido, la autonomía es en sí misma generadora potencial de diversidad y, de hecho, frecuentemente se confunde con la asimetría. Cuando, por ejemplo, se otorga a todas las Provincias canadienses el poder de retirarse de determinadas reformas constitucionales (*«opting out»*) o de determinados planes federales (*Canadian Pension Plan*) se consagra una asimetría sólo virtual, puesto que no se conceden poderes especiales a ninguna de ellas. Asimismo, cuando se atribuyen a todas las Comunidades Autónomas españolas la facultad de regular el alcance de la oficialidad de sus respectivas lenguas en su territorio no se opera propiamente una asimetría. Ni cuando se dota a todos los entes territoriales de una amplia capacidad de auto-organización. En todos estos casos, la heterogeneidad es el resultado del ejercicio diferenciado, por parte de algunas entidades, de unos poderes otorgados por igual a todas. Se demuestra así que el federalismo tiene en su propia raíz una fuerte capacidad para reflejar y acomodar la diversidad manifestada a través de factores religiosos, étnicos, ideológicos, culturales o nacionales, que pueden adquirir expresión política. En este último caso, sin embargo, el federalismo no siempre tiene capacidad para acomodar realidades nacionales complejas; en concreto, aquellas donde algunas minorías no ven satisfechas sus demandas políticas simplemente con la diversidad que permite la autonomía puesto que estas comunidades lo que realmente reclaman es la asimetría, es decir, un *special status* constitucional dentro de la federación.

El establecimiento de mecanismos constitucionales asimétricos plantea a menudo numerosas cuestiones de orden técnico-legal a la hora de aplicarse en realidades concretas, y algunas federaciones las han resuelto con bastante éxito utilizando fuerte dosis de imaginación jurídica. Desde este punto de vista, la igualdad entre unidades federadas, a diferencia de lo que sucede con la igualdad jurídica entre las personas, no es un presupuesto necesario e inmutable de la democracia liberal sino que se trata de una opción organizativa del constituyente que depende de la particular historia del proceso de federación (Pertnhaler, 1998: 19).

Pero como casi siempre, detrás de los problemas constitucionales descansan cuestiones de orden político, y el debate sobre la asimetría, en el fondo, plantea algunas de las grandes cuestiones de la revisión conceptual y práctica de las democracias liberales en el siglo XXI, lo que afecta directamente a las estructuras y a la legitimación del federalismo, especialmente en sociedades nacionalmente plurales. En efecto, ya he apuntado que el federalismo pretende responder al fenómeno del Estado Nación con un nuevo criterio de organización social y política que se propone garantizar la convivencia mediante la articulación de la pluralidad en una unidad política común capaz de integrar a la diversidad de las partes. Pero a pesar de que la unidad federal es un medio para componer la diversidad, la realidad demuestra que no siempre es un marco suficientemente flexible para acomodar en un mismo espacio político a naciones o nacionalidades que conviven en algunas sociedades democráticas occidentales. Esto es así en las llamadas «sociedades diferenciales» (Herrero de Miñón, 1995: 13), es decir, aquellas en las que existen comunidades con carácter nacional junto a otras que no tienen tal carácter, como es el caso de Canadá, Bélgica y España. La experiencia constitucional de los últimos decenios demuestra las notables dificultades que han hallado estos países para desarrollar de forma estable estructuras federales o cuasi-federales.

Las explicaciones a este fenómeno han sido diversas. Elazar (1987: 215) reconoce que el federalismo no ha demostrado ser un instrumento de especial bondad para integrar diversas nacionalidades bajo un sistema político único o general, a no ser que vaya acompañado de otros factores tendentes a su integración. Se ha dicho, siguiendo una opinión extendida en Alemania, que el federalismo, de hecho, es incompatible con el nacionalismo y no puede prosperar allí donde existen nacionalidades distintas (Rubio Llorente, 1996: 360). También se ha destacado que el nacionalismo es una ideología difícil de integrar en un proyecto federal dado que éste no se sustenta sólo en una fórmula jurídica sino también en la aspiración a una lealtad hacia un proyecto común (Recalde, 1995: 81). Y se ha afirmado que no es posible hallar una fórmula constitucional que pueda dar satisfacción a una nación que busca una posición ambigua, en parte en el interior y en parte en el exterior del Estado (Keating, 1996: 8).

A mi modo de ver, el desarrollo de estructuras federales o similares en sociedades plurinacionales genera una contraposición entre dos lógicas a menudo incompatibles. Por un lado, la lógica de las minorías nacionales, que reclaman un reconocimiento político y constitucional de su identidad diferenciada, y un autogobierno suficiente para su mantenimiento como pueblo. Por otro lado, la lógica de las mayorías nacionales, que ven en el federalismo un factor de reforzamiento democrático y una técnica de descentralización del poder para la gestión eficaz de los asuntos públicos. La tensión entre las dos lógicas puede constatarse en los tres países mencionados: en Bélgica, con la divergencia de inclinaciones políticas entre Flandes (comunitarización cultural) y Valonia (regionalización económica); en Canadá, con el contraste entre las demandas de mayor autonomía por parte de Quebec y la necesidad de reforzar el gobierno federal expresada por las otras Provincias; y en España, con las diferencias de planteamientos del nacionalismo vasco y catalán, y el de los partidos de ámbito estatal (PP y PSOE). En tales situaciones, la generalización e igualación de la autonomía se realiza bajo la lógica mayoritaria, difícil de compatibilizar con la lógica minoritaria.

En realidad, la contraposición entre estas lógicas surge de la conexión entre asimetría y plurinacionalidad, presente en el debate que se sigue en los tres países. Los términos y las posiciones que en el mismo se mantienen demuestran claramente el papel central que en la discusión adquiere la identidad política, es decir, la forma en que los ciudadanos perciben su pertenencia a una comunidad sobre la cual se construyen las instituciones políticas. Las diferencias en esta percepción tienen una traducción en las posiciones que se adoptan en los debates sobre la asimetría. Así, las diferentes voluntades de autogobierno obedecen a justificaciones también diversas, porque comportan concepciones dispares de la igualdad entre unidades territoriales «nacionales» y unidades territoriales «regionales». Para las primeras, garantizar los mismos poderes a las naciones y a las regiones supone de hecho negar la igualdad a la minoría, reduciendo su *status* al de una división regional de la mayoría nacional. Por el contrario, para esta última, conceder poderes especiales a las minorías equivale a considerar algunas unidades territoriales menos importantes que otras, y en consecuencia, dar un trato discriminatorio a sus ciudadanos. En realidad, la demanda de un estatuto especial por parte de las minorías nacionales no se dirige sólo a un incremento de sus poderes sino también a su reconocimiento como nación (Kymlicka, 1998: 27). Estas posiciones reflejan una diferencia más profunda sobre la misma concepción de la federación: para las minorías, el federalismo es esencialmente una asociación entre pueblos fundadores en pie de igualdad, lo que exigiría una asimetría entre unidades territoriales nacionales y regionales; para las mayorías, el federalismo es básicamente una unión entre unidades territoriales iguales, lo cual exige la simetría entre todas ellas. Este contraste ha quedado ilustrado en el debate político de Canadá, donde históricamente se han contrapuesto dos visiones del federalismo (Vipond, 1995). Por otra parte, las minorías nacionales conciben a menudo la estructura del Estado más como una confederación que una federación. Su reivindicación básica no consiste en defender que la comunidad política es culturalmente plural sino en afirmar que existe más de una comunidad política, y que cada una de ellas dispone del derecho a autogobernarse.

Las demandas de asimetría por parte de los nacionalismos minoritarios, entendida como una reivindicación de autonomía-diferenciación que comporta un estatuto especial para una o varias comunidades, ha suscitado fuerte oposición en los países donde se ha reclamado. La experiencia comparada también demuestra que las presiones hacia la asimetría de los nacionalismos minoritarios, generalmente son respondidas con presiones hacia la simetría por parte del nacionalismo estatal. Los argumentos de este último difieren entre los diversos países, pero existen notables similitudes entre ellos. Así, puede comprobarse que el nacionalismo estatal tiende a utilizar respecto de las comunidades que se proclaman nacionales un tipo de discurso beligerante, que niega dicho carácter, intentando deslegitimar los planteamientos de los partidos nacionalistas, y pretendiendo acabar con su posición decisiva en la gobernabilidad del sistema político estatal (Bastida, 1998: 195). Se trata de una lucha política entre nacionalismos, entre fuerzas que sostienen diferentes proyectos de *nation building*, y una parte importante de este conflicto se desarrolla en el terreno simbólico, que adquiere así una gran importancia. Por ello, las reivindicaciones para el reconocimiento de la plurinacionalidad se extienden desde el lenguaje constitucional hasta la utilización de himnos y banderas, las cuestiones de protocolo, la presencia internacional o la utilización de las distintas lenguas en documentos oficiales, monedas e instituciones (Requejo, 1999). En estos aspectos, el nacionalismo estatal tiende a proyectar una imagen uninacional del Estado y se resiste a una simbología que exprese su carácter diverso.

Otro argumento en contra de la asimetría ha sido el de la representación en las instancias centrales de las comunidades con un estatuto especial. Los detractores del federalismo asimétrico sostienen que si éste se implantara, las comunidades con más poderes deberían tener un peso menor en las instituciones federales y, en todo caso, sus representantes no deberían tener el poder de decidir a nivel federal sobre asuntos que su comunidad puede decidir a nivel territorial puesto que ello les situaría en una posición privilegiada. Esta cuestión ya se planteó en las discusiones que tuvieron lugar en Gran Bretaña en el siglo pasado a propósito de la *Home Rule* para Irlanda —la llamada *West Lothian Question*— y ha resurgido con el nuevo proceso de *devolution* a Escocia y Gales iniciado en 1998. También en Canadá (Dion, 1994: 180) y en España (Rubio, 1993: 154) se ha planteado en términos similares. La cuestión es de una gran complejidad desde el punto de vista teórico (Keating, 1998: 106; Kymlicka, 1996: 40) y sin duda de difícil solución política.

Como he sugerido, otro importante argumento en contra de la asimetría es que ésta implica la concesión de privilegios infundados para determinadas unidades, lo cual es contrario a la igualdad entre todas las entidades federadas. Este último principio, a pesar de no estar normalmente inscrito en la Constitución, se considera que está políticamente vigente en el sistema. De ahí que en las federaciones plurinacionales las reivindicaciones de las comunidades nacionales provoquen un rechazo por parte del resto o, como en el caso de España, sólo sean aceptadas si se extienden a todas ellas, lo que a menudo provoca más resistencias por parte del gobierno central.

Pero sin duda, uno de los principales argumentos en contra de la asimetría es el que considera inaceptable su implantación por ser incompatible con la igualdad de derechos y obligaciones entre los ciudadanos del Estado. La distribución asimétrica de poderes entre entidades territoriales, o la representación asimétrica de aquéllas en las instancias federales, comportaría la desigualdad entre los ciudadanos de distintas comunidades, lo que sería contrario al pretendido carácter universal de derechos civiles, políticos y sociales. Esta cuestión, es decir, la igualdad de los ciudadanos de un sistema federal, especialmente en uno de carácter plurinacional, conduce a la última parte de esta contribución.

4. Federalismo plurinacional e igualdad de los ciudadanos

Como se ha dicho, los Estados federales emergieron para dar respuesta a diversos fenómenos de la vida política moderna, entre otros, la caída de los viejos fundamentos aristocráticos del orden premoderno, y la aparición del nuevo Estado Nación. En realidad, estos dos fenómenos se desarrollan paralelamente. En efecto, el Estado Nación, en cualquiera de sus versiones, ha tendido por un lado a la concentración del poder, y por el otro, a la homogeneización de las relaciones de éste con la población, mediante la atribución de una ciudadanía común a los individuos residentes en su territorio. El principio de la igualdad de todos los ciudadanos ante la ley, formulado en las revoluciones francesa y americana, expresa de forma clara esta idea.

A pesar de ello, existe una cierta tensión entre el principio de igualdad de los ciudadanos y el principio federal. Efectivamente, contrariamente al Estado unitario, la estructura federal permite a las entidades que integran la federación formular sus propias normas y sus propias políticas en los ámbitos de su competencia, dejando las otras materias en manos del Estado central. De ello resulta una diversidad de regímenes jurídicos que entra en conflicto con la estricta igualdad de todos los ciudadanos (Woehrling, 1991: 122). Posiblemente por ello Tocqueville afirmó que el camino moderno hacia la igualdad individual podía presagiar la muerte del federalismo, porque sólo un gobierno centralizado podía asegurar la igualdad en profundidad. Lo cierto es que ningún Estado unitario ha conseguido una profunda igualdad, y aquellos que desde la Revolución francesa han reivindicado este logro, en realidad han generado desigualdad, y a menudo han conducido a la tiranía.

Si nos centramos en la igualdad jurídica, resulta claro que si implica que todos los ciudadanos deben vivir bajo las mismas leyes, entonces es radicalmente opuesta al federalismo porque éste comporta que la igualdad debe ser conciliada con la existencia de diferentes leyes aplicables en distintas comunidades territoriales. Como ha sostenido el Tribunal Supremo de Canadá, el reparto de competencias no sólo permite un trato diferenciado según la Provincia de residencia, sino que autoriza y fomenta las distinciones de orden territorial. No puede dudarse que el trato desigual que resulta del ejercicio de las competencias por parte de los legisladores provinciales no debería ser atacado por el hecho de crear distinciones basadas sobre la Provincia de residencia *(R.c. Sheldon, [1990] 2 R.C.S.254)*.

En cuanto a la igualdad política, los sistemas federales han ido introduciendo la igualdad en el voto, y el Tribunal Supremo americano ha reforzado esta idea a través de su jurisprudencia *(Baker v. Carr, 1962, Reynolds v. Sims, 1964)*. Este principio se ha exigido en el interior de los Estados federados, pero no en relación a la Federación, donde existe una desigual representación en el Congreso, en el Senado y en las elecciones presidenciales. Curiosamente, en una ocasión en que el Estado de Maryland invocó la organización del Senado federal para estructurar su propia Cámara Alta, el Tribunal Supremo rechazó tal pretensión, declarando que «esta organización federal fue históricamente producto de un compromiso para evitar la amenaza de ver abortar el nacimiento de nuestra Nación» *(Maryland v. Tawes, 1964)*.

Finalmente, la igualdad social y económica exige que las cargas impuestas y los beneficios producidos por el gobierno sean distribuidos de la forma más equitativa posible entre individuos y comunidades. Ahora bien, la existencia de entidades políticas territoriales con poderes de recaudación y de gasto hace que la distribución de una parte de las cargas y de los beneficios sea desigual a través del territorio, si bien dentro de cada Estado pueden ser distribuidos de forma igualitaria. Se puede argumentar que estas desigualdades no son reprobables si han sido decididas democráticamente, es decir, si los ciudadanos de los Estados han gozado de las mismas oportunidades para decidir por sí mismos ser más o menos iguales que los demás. Sin embargo, el hecho de que existan desigualdades debidas a causas no deseadas, puede justificar la intervención redistributiva del gobierno federal a través de distintas vías.

Estos tres aspectos de la igualdad en un Estado federal nos permiten afirmar que un sistema de tal naturaleza hace posible que los ciudadanos puedan elegir entre aquellos derechos, cargas y beneficios que consideran fundamentales, y por ello han de corresponder a todos los ciudadanos por igual, y aquellos que pueden variar de acuerdo con las preferencias de los ciudadanos de las distintas unidades territoriales. Ciertamente, la evolución social y política del último siglo ha dado lugar al predominio de una cultura política de universalización de derechos, que tiende a una homogeneización del *status* de los ciudadanos en el conjunto del país, a pesar de que éste sea de estructura federal. Esta tendencia se ha dado en la mayoría de Estados federales modernos, y se ha concretado en la adopción de una Carta de derechos constitucionales, que se aplican a todos los ciudadanos, independientemente del territorio, y que es interpretada en última instancia por una única autoridad judicial, se llame Tribunal Supremo o Tribunal Constitucional. Resulta claro que ello ha conducido a una progresiva reducción de las disparidades que existían originariamente en los sistemas federales, y ha producido una tendencia a la uniformización, aunque no siempre a la centralización.

En el caso de los Estados Unidos, la Carta de Derechos añadida a la Constitución Federal de 1791 se aplicó originariamente sólo al gobierno federal, como reconoció en alguna ocasión el mismo Tribunal Supremo (*Barron v. Baltimore*, 1833). La posterior aprobación de la enmienda XIV después de la Guerra civil (1868) fue utilizada hasta comienzos del siglo XX esencialmente para proteger los derechos de propiedad frente a la actuación de los Estados. Pero a partir de 1937, el asunto del «*Court-Packing Plan*» de Roosevelt supuso el abandono por parte del Tribunal Supremo de su actitud obstruccionista a las medidas del New Deal, y la enmienda XIV empezó a tener repercusiones para las libertades civiles. De hecho, en el mismo seno del Tribunal Supremo se debatió la doctrina del sustantivo «*due process*», cuyo significado para algunos jueces era que la enmienda XIV tenía como finalidad «nacionalizar» la Carta de Derechos y Libertades (Katz, 1991: 42). La llegada del juez Warren a la Presidencia del Tribunal Supremo americano supuso una revolución en materia de derechos y libertades, que también afectó a la estructura federal. En concreto, supuso la definitiva nacionalización de la Carta de derechos y libertades, aplicable ahora a todos los Estados, y la comprensión de los derechos como un aspecto de la ciudadanía nacional, creando una especie de estándar de derechos por debajo del cual los Estados no podían descender. Posteriormente, el Tribunal Supremo ha rebajado este nivel y los Tribunales Supremos de los Estados, al interpretar sus propias Constituciones, han podido establecer estándares más altos, dando lugar al fenómeno que se conoce como «*New Judicial Federalism*» (Kincaid, 1988: 163) el cual produce mayor diversidad en la protección de los derechos y libertades.

En el caso de Canadá, la *British Nord America Act* no contenía una Carta de derechos, que no fue incorporada hasta la «repatriación» de la Constitución en 1982, pero que entró en vigor en 1985. La Carta garantiza el derecho a la igualdad de los ciudadanos (art. 15), pero al mismo tiempo mantiene algunas disposiciones de la Constitución de 1867 que protegen los derechos de ciertas colectividades definidas por la lengua o la religión (arts. 99 y 133), e incorpora otras disposiciones que protegen a los pueblos autóctonos y el patrimonio multicultural de los canadienses (art. 27). Además, introduce la curiosa cláusula «*notwithanding*» (art. 33), la cual permite al Parlamento de una Provincia aprobar una ley que declare vigente una norma provincial no obstante ser contraria a ciertas disposiciones de la Carta federal. A pesar de los iniciales temores de algunas Provincias sobre los efectos homogeneizadores de la Carta de Derechos y la posible repercusión sobre los poderes provinciales, su aplicación e interpretación por parte del Tribunal Supremo no ha tenido los efectos uniformizadores y centralizadores que se esperaba (Woehrling, 1991: 168), como ilustra el famoso caso Ford *(Ford v. P.G. Québec,[1998] 2 R.c. S712)*. Este hecho, y el señalado fenómeno del «*New Judicial Federalism*», demuestra que la evolución de la cultura política de la igualdad y la universalidad de los derechos, si bien ha tenido un claro efecto sobre los sistemas federales, no ha impedido a éstos mantener un nivel de diversidad que no es posible en los Estados unitarios.

En este punto debe hacerse de nuevo la distinción entre las federaciones plurinaciones y las federaciones territoriales. Los ejemplos de Estados Unidos y Canadá ponen de manifiesto que, a pesar de la capacidad del federalismo para garantizar la diversidad en materia de derechos, ésta es más problemática en sociedades plurinacionales, donde la cultura política de las minorías nacionales puede no coincidir plenamente con la de las mayorías nacionales. Precisamente porque los derechos y las libertades son una cuestión estrechamente vinculada a la cultura política, adquiere relevancia la composición cultural de los Estados y la existencia de mayorías y minorías que pueden coincidir o no a nivel federal y a nivel territorial. Los argumentos universalistas son contrarios a admitir variaciones en los derechos en un Estado plurinacional porque defienden el reconocimiento de derechos y valores universales y, por tanto, también se oponen a cualquier solución asimétrica en este punto. En realidad, el pretendido universalismo esconde a menudo el predominio de una determinada cultura política, la de la mayoría, que también se basa en valores particularistas. Y a menudo también, la adopción de una sola Carta de derechos en Estados federales, como demuestra el caso de Estados Unidos y Canadá, tiene un claro propósito de *nation-building* por parte de la mayoría. Es obvio que el marco de derechos establecido por la ley incorpora siempre características especiales de una sociedad y de su cultura. Por otra parte, el proceso de interpretación de los derechos fundamentales implica normalmente la adopción de unos determinados valores culturales, que asumen concretas concepciones de lo que es un país y su cultura. En definitiva, una sociedad plurinacional puede requerir una regulación y una interpretación de los derechos que tenga en cuenta las diferencias culturales.

Llegamos así al último punto de esta exposición, es decir, la igualdad de los ciudadanos en un Estado plurinacional que adopta formas federales asimétricas. Como he dicho, uno de los principales argumentos para rechazar la asimetría es que ésta comporta una desigualdad entre los ciudadanos, dado que aquellos que pertenecen a comunidades con un estatuto especial gozarían de más poder y de más derechos que los ciudadanos de las otras entidades territoriales. Este argumento es discutible porque la asimetría no se refiere tanto a ciudadanos que disponen de *más* poder como a *dónde* ejercen dicho poder. La asimetría significa que el ejercicio del poder respecto a determinadas entidades territoriales está dividido de forma diferente, de tal manera que algunas cuestiones que se deciden a nivel central para los ciudadanos de la mayoría, se deciden a nivel regional para los ciudadanos de la minoría. La alteración de la división entre poder central y poder territorial responde así a las variaciones en la percepción de la identidad política, presentes en sociedades plurinacionales, y ésta sería su justificación (Webber, 1994: 230). Una justificación que, a mi modo de ver, permite la necesaria adaptación de los principios de la democracia federal, en concreto el de la igualdad, a las exigencias del pluralismo cultural del siglo XXI.

5. Conclusiones

En este artículo he abordado los diversos aspectos de la igualdad en los Estados federales, especialmente en aquellos de carácter plurinacional. Respecto a la igualdad entre pueblos fundadores, se ha visto en algunos ejemplos históricos que aquélla no se ha dado estrictamente, ya que las diferencias entre entidades fundadoras ha comportado que algunas de ellas entendieran que debían tener una posición especial en el pacto constitucional. Por otro lado, los procesos de federación han sido a menudo procesos de *nation-building*, los cuales han dado lugar a uniones políticas cuyo carácter ha sido posteriormente discutido, como en el caso de Canadá y los Estados Unidos.

El moderno Estado Nación ha comportado la progresiva tendencia a unificar la pluralidad de las estructuras políticas premodernas, y a implantar una cultura política basada en la igualdad democrática de los ciudadanos. El federalismo ha intentado responder a este fenómeno manteniendo una concepción pactista del poder, y articulando una organización del mismo que lo mantiene dividido, haciendo así posible integrar la pluralidad territorial en una unidad constitucional. A pesar de la tendencia hacia la homogeneización de la mayoría de sistemas federales modernos, el federalismo permite aún hoy una cierta diversidad que no se da en los Estados unitarios. Sin embargo, el desarrollo de estructuras federales en Estados plurinacionales resulta especialmente dificultosa y sigue chocando, en muchos aspectos, con la idea de igualdad que ha acompañado al Estado Nación.

Las demandas de reconocimiento cultural del siglo XXI, y en concreto, las reivindicaciones de los nacionalismos minoritarios, han supuesto un resurgimiento de la cuestión de la igualdad entre las unidades integrantes de un Estado federal. En el marco de las democracias occidentales, Canadá, Bélgica y España ofrecen el ejemplo de tres países donde se ha producido un debate sobre la asimetría federal vinculado al carácter plurinacional del Estado. Este último se da cuando algunas entidades federadas reclaman su calidad de comunidades «nacionales», mientras otras se autoidentifican como «regiones» de la nación mayoritaria. Y tiene una clara expresión política en la presencia de fuerzas nacionalistas, implantadas en esas comunidades, que reclaman el reconocimiento de su identidad diferenciada, y reivindican un estatuto constitucional especial dentro de la federación. Las dificultades para implantar estructuras federales estables en esos contextos deriva de las lógicas contrapuestas entre mayorías nacionales y minorías nacionales, y de las claras diferencias de percepción en la identidad política por parte de cada una de ellas. Ello comporta comprensiones divergentes de la igualdad entre entidades territoriales, y entraña profundas discrepancias sobre la misma naturaleza de la federación. De ahí que las demandas de asimetría hayan suscitado oposición en esos tres países.

Uno de los principales argumentos en contra de la asimetría federal ha sido que ésta es contraria al principio de igualdad entre los ciudadanos, según el cual todos deben gozar de los mismos derechos y libertades constitucionales. De hecho, este principio entra en tensión con el mismo principio federal, que permite a las distintas entidades territoriales formular sus propias normas y sus propias políticas en los ámbitos de su competencia, de lo cual resulta una diversidad de regímenes jurídicos a través del territorio.

A pesar de la progresiva implantación de una cultura de la igualdad en los sistemas federales modernos, que se expresa en la aprobación de una sola Carta de derechos interpretada en última instancia por una única autoridad judicial, aquéllos han mostrado una mayor capacidad para componer la diversidad jurídica que los Estados unitarios, haciendo posible equilibrar los deseos de los ciudadanos de ser a la vez iguales y distintos.

Este equilibrio es más difícil de lograr en sociedades plurinacionales, donde las diferencias en la cultura política pueden implicar diferencias en los valores y derechos entre las diversas comunidades. Ello puede exigir una regulación y una interpretación de los derechos que tenga en cuenta esas diferencias culturales. En realidad, el marco de los derechos establecido por la ley incorpora siempre características de una sociedad particular y de su cultura. Por otra parte, el proceso de interpretación de derechos implica la adopción de determinados valores culturales que asumen concretas concepciones de lo que se entiende por un país y por una cultura.

Las propuestas de asimetría en este punto han provocado oposición porque se entiende que otorgar un estatuto especial a una comunidad comporta que los ciudadanos de ésta tengan más poder y más derechos que los ciudadanos de otras comunidades. Sin embargo, la asimetría significa simplemente que el ejercicio del poder respecto de determinadas entidades está dividido de distinta forma, y que algunas cuestiones que se deciden a nivel central para los ciudadanos de la mayoría se deciden a nivel regional para los ciudadanos de la minoría. La alteración de la división entre poder central y poder regional responde así a las variaciones en la percepción de la identidad política, expresadas democráticamente en una sociedad pluricultural.

En definitiva, la acomodación de realidades culturalmente complejas, entre las cuales figuran las sociedades plurinacionales, exige revisar los postulados del Estado nación, los principios del federalismo y la misma idea de igualdad.

Referencias

Bastida, X. (1998): *La Nación española y el nacionalismo constitucional*, Madrid, Ariel.

Beer, S. H. (1994): *To Make a Nation. The Rediscovery of American Federalism*, Harvard University Press.

Cairns, A. C. (1991): «Constitutional Change and the three equalities», R. L.Watts & D. M. Brown (ed.) *Options for a new Canada*, Toronto, University of Toronto Press.

Dion, S. (1994): «Le fédéralisme fortement asymétrique: improbable et indésirable», F. Leslie Seide (ed.): *Seeking a New Canadian Parternship. Asymmetrical and Confederal Options*, Montreal, Institute for Research on Public Policy.

Elazar, D. (1987): *Exploring Federalism*, Tuscaloosa, University of Alabama Press.

Fossas, E. (1995): «Asimetría y autonomía», *Informe Pi i Sunyer sobre Comunidades Autónomas 1994*, Barcelona, Fundació Carles Pi i Sunyer d'Estudis Autonòmics i Locals.

Fossas, E., Requejo, F. (1999): *Asimetría federal y Estado plurinacional. El debate sobre la acomodación de la diversidad en Canadá, Bélgica y España*, Madrid, Trotta.

García Pelayo, M. (1984): *Derecho Constitucional comparado*, Madrid, Alianza Universidad.

Guibernau, M. (1996): *Los nacionalismos*, Barcelona, Ariel.

Herrero de Miñón, M. (1995): «La posible diversidad de los modelos autonómicos en la transición, en la Constitución española de 1978 y en los Estatutos de Autonomía», AA.DD., *Uniformidad y diversidad de las Comunidades Autónomas*, Barcelona, Institut d'Estudis Autonòmics.

Katz, E. (1991): «Les États Unis», en Edmond Orban *et al.*, *Fédéralisme et Cours Suprêmes/ Federalism and Suprem Courts*, Bruxelles-Montréal, Bruylant-Les Presses de l'Université de Montréal.

Keating, M. (1996): *Naciones contra el Estado. El nacionalismo de Cataluña, Quebec y Escocia*, Barcelona, Ariel.

— (1998): «Principes et problèmes du gouvernement asymétrique», *Politique et Sociétés*, vol. 17, n.º 3.

Kymlicka, W. (1996): «Federalismo, nacionalismo y multiculturalismo», *Revista Internacional de Filosofía Política*, n.º 7.

— (1998): «Le fédéralisme multinational au Canada: un partenariat à repenser», Guy Laforest and Roger Gibbins, *Sortir de l'impasse. Les voies de la réconciliation*, Montreal.

Kincaid, J. (1988): «State Court Protections of Individual Rights Under State Constitutions: The New Judicial Federalism», *Journal of State Government*, 61.

— (1991): «Federalism», en Ch. F. Bahmueller (ed.) *Civitas: A Framework for Civic Education*, Calabasas, Center for Civic Education.

Laband, P. (1900): *Le Droit Public de l'Empire Allemand*, París, t. I.

Lenaerts, K. (1990): «Constitutionalism and the Many Faces of Federalism», *The American Journal of Comparative Law*, vol. 38.

Madison, J. (1908): *Journal of the Debates in the Convention which framed the Constitution*, t. II.

Pernthaler, P. (1998): *Lo stato federale differenziato*, Bologna, Il Mulino.

Recalde, J. R. (1995): *Crisis y descomposición de la política*, Madrid, Alianza Universidad.

Requejo, F. (1999): «Pluralism, Nationalism and Federalism. A revision of Democratic Citizenship in Plurinational States», *European Journal of Political Research*, 35, 2.

Resnick, Ph. (1994): «Towards a Multinational Federalism: Asymmetrical and Confederal Alternatives», F. Leslie Seidle (ed.): *Seeking a New Canadian Partnership. Asymmetrical and Confederal Options*, Montreal.

Rocher, F.-Smith, M. (1995): «Four Dimensions of the Canadian Constitutional Debate», F. Rocher & M.Smith, *New Trends in Canadian Federalism*, Broadview Press, Ontario.

Rubio Lorente, F. (1993): *La forma del poder (Estudios sobre la Constitución):* Madrid, Centro de Estudios Constitucionales.

— (1996): «La reforma constitucional del Senado», AA.DD., *Ante el futuro del Senado*, Barcelona, Institut d'Estudis Autonòmics.

Sartori, G. (1992): *Elementos de teoría política*, Madrid, Alianza Universidad.

Tarlton, Ch. D. (1965): «Symmetry and asymmetry as elements of federalism Atheoretical speculation», *Journal of Politics*, vol. 27.

Tully, J. (1995): *Strange multiplicity. Constitutionalism in an age of diversity*, Cambridge University Press, Cambridge.

Vipond, R. (1995): «From Provincial Autonomy to Provincial Equality (Or, Clyde Wells and the Distinct Society)», J. H. Carens (ed.) *Is Quebec Nationalism Just? Perspectives from Anglophone Canada*, Mc Gill-Queens University Press.

Watts, R. L. (1994): «Contemporary Views on Federalism», in B. De Villiers (ed.) *Evaluating Federal Systems*, Juta & Co.

Webber, J. (1994): *Reimagining Canada: Language, Culture, Community and the Canadian Constitution*, Kigston & Montreal.

Woehrling, J. (1991): «Le principe d'égalité, la système fédéral canadien et le caractère distinct du Québec», Pierre Patenaude (dir.) *Québec-Communauté française de Belgique: Autonomie et spécificité dans le cadre d'un système fédéral*, Montréal, Wilson & Lafleur.

CAPÍTULO 4

SECESIÓN Y DEMOCRACIA (CONSTITUCIONAL)

Wayne Norman

1. Introducción

¿Es democrática la secesión? Una teoría adecuada de la democracia, ¿debería incluir el derecho de grupos de personas a separarse de su estado, llevándose una parte del territorio consigo? La evaluación de la secesión goza actualmente de una gran popularidad en el campo de la filosofía política, y muchos teóricos están convencidos de que la respuesta a estas preguntas es obviamente «sí». La secesión, según ellos, es el acto definitivo de la autodeterminación, y la autodeterminación es, a su vez, la idea central de la democracia. Si se puede confiar en los ciudadanos democráticos para decidir cómo deben ser gobernados, quién los debe gobernar y qué debe hacer el gobierno, ¿por qué, entonces, no se les puede permitir también decidir las fronteras del estado en el que se autogobiernan?[1]

Otros teóricos señalan rápidamente los numerosos puntos de tensión entre las ideas de la democracia y la secesión.[2] Advierten, en primer lugar, que la posibilidad de una secesión podría incluso erosionar la democracia. La integridad del gobierno mayoritario se ve subvertida cuando un grupo amenaza con no respetar las decisiones democráticas y separarse, si resulta que está en minoría (Buchanan, 1991, pp. 98-99; 1998, p. 21). Además, argumentan, la posibilidad de la secesión erosiona el aspecto deliberativo de la democracia. La democracia no es solamente una cuestión de ponderar preferencias de una manera justa; también es un foro para la deliberación, donde los participantes desarrollan y modifican sus puntos de vista después de discutirlos. Si la salida es una opción demasiado fácil, este tipo de deliberación no tendrá lugar (Buchanan, 1991, p. 134; 1998,

---

1.   Algunos argumentos en defensa de este punto de vista general, en Beran, 1984; Nielsen, 1993; Philpott, 1995; Wellman, 1995 y Copp, 1997.

2.   Para una crítica concisa y devastadora de la conexión entre democracia y secesión, véase Buchanan, 1998.

p. 22). En tercer lugar, estos teóricos a veces destacan una paradoja en la idea de que es natural que se amplíen las deliberaciones democráticas desde cuestiones de gobierno y de políticas públicas a cuestiones como la elección de una colectividad política (*polity*). Efectivamente, la democracia es el gobierno del pueblo; pero esto supone que ya sabemos quién es el pueblo; quién es el que se autogobierna. Y es exactamente esto lo que cuestiona la secesión. Un voto sobre la secesión es, ante todo, un voto para decidir quiénes se incluirán en el pueblo que conforma la colectividad que se autogobierna. Pero, ¿es posible decidir esto con un voto? ¿Quién tendría derecho a votar? Necesitaríamos antes una respuesta a la pregunta «¿Quién es el pueblo?» para saber quién podría votar; y ésta es precisamente la cuestión que el voto debe decidir.[3]

Subyace un cuarto problema al establecer una conexión demasiado sencilla entre los ideales democráticos y el derecho a la secesión. Es erróneo equiparar la democracia con el gobierno de la mayoría, o dar por sentado que el gobierno de la mayoría prevalece automáticamente sobre otros valores y derechos fundamentales en una democracia liberal.[4] Un acto de secesión, o incluso un intento de secesión, podría tener un gran impacto en los derechos y en las legítimas expectativas de los ciudadanos tanto dentro como fuera de la región secesionista. Puede cambiar la ciudadanía de las personas contra su voluntad. Puede crear nuevos grupos minoritarios cuyos miembros pueden tener fundadas razones para temer lo peor. Puede cambiar de modo sustancial el carácter del estado original sin que el ciudadano que vive en él pueda influir directamente en el tema. Puede crear incertidumbres en los mercados financieros además de barreras comerciales que dejen tanto al estado secesionista como al estado original peor que antes. Y, por supuesto, en muchas partes del mundo también aumenta la posibilidad de violencia (como en el Punjab o Irlanda del Norte) y del empleo de métodos brutales de expulsión forzada (como en los Balcanes).

Estas razones sugieren que, sea cual sea la relación entre la democracia y el derecho a la secesión, ésta no será una sencilla inferencia deductiva desde los conceptos abstractos de autodeterminación y de gobierno mayoritario. Esto no significa que no existan casos donde la secesión sea legítima, y donde no sea apropiado e incluso esencial que se legitime por procesos democráticos. Con el fin de determinar más claramente cuándo una secesión está justificada, y qué procedimientos democráticos concretos deben aplicarse, propongo que investiguemos cómo se debe regular la política secesionista dentro del marco de un estado democrático moderno.

Tiene sentido decir que la secesión es el resultado de, o es compatible con, la democracia si podemos establecer un procedimiento razonable para la secesión dentro de un orden constitucional justo y democrático.

---

3. Jennings, 1956, p. 56 (citado en Moore, 1998); Barry, 1983, p. 161; Moore, 1998, p. 134; Derriennic, 1995, pp. 97-102.

4. Este rechazo del gobierno de la mayoría como principio fundamental de la democracia constitucional es, de alguna manera, el punto de partida de todos los capítulos de este volumen.

En este capítulo, como un primer paso en esta investigación, formularé una pregunta sencilla: *¿Es apropiado que exista una cláusula de secesión en la constitución de un estado democrático?* No discutiré aquí sobre el contenido que debiera tener esta cláusula,[5] aunque para que la pregunta sea interesante tenemos que asumir que una cláusula justa de secesión —una que sea compatible con las normas de la legitimidad democrática— permitiría que algunos tipos de grupos definidos territorialmente (por ejemplo, las unidades de una federación) se separasen si una clara mayoría del grupo así lo deseara.

2. Constitucionalizar la Secesión: argumentos en contra

A pesar de que existe un número creciente de trabajos sobre el derecho a la secesión, se ha prestado poca atención a la cuestión de si debe constitucionalizarse este derecho, y cómo, en las leyes de un estado democrático. Tal vez la discusión más profunda de este tema ha venido de una persona contraria a dicha constitucionalización: Cass Sunstein. De alguna manera Sunstein expresa y defiende la ortodoxia ya que, al fin y al cabo, muy pocos estados reconocen el derecho a la secesión en sus constituciones. En un artículo muy original, pero poco citado, publicado en 1991, Cass Sunstein resume de manera concisa la mayoría de las razones para pensar que las constituciones democráticas *no* deben incorporar una cláusula secesionista (a pesar que piensa que la secesión está moralmente justificada en algunos casos).

> *La presencia de tal derecho en una constitución aumentaría el riesgo de luchas étnicas y partidistas; reduciría las posibilidades de compromisos y de deliberación en el gobierno; aumentaría en gran medida la importancia de las decisiones políticas cotidianas; introduciría consideraciones irrelevantes e ilegítimas en estas decisiones; crearía el peligro de chantaje, comportamiento estratégico y explotación; y, en términos más generales, pondría en peligro la posibilidad de la gobernabilidad a largo plazo* (Sunstein 1991, p. 634).

Las razones de Sunstein para excluir el derecho de secesión en la constitución siguen a su opinión de que las constituciones son, entre otras cosas, una serie de estrategias de precompromiso. La idea es que los tipos de distorsión en la toma de decisiones democráticas, que él considera que serían el resultado de una cláusula de secesión, es exactamente lo que unos sabios fundadores deberían intentar evitar; y lo conseguirán comprometiéndose de antemano con un régimen constitucional que desaliente tales distorsiones.

> *...si existe el derecho a la secesión, cada subunidad será vulnerable a las amenazas de secesión de las demás. Si las consideraciones que se han mencio-*

---

5.   Establezco algunas de las formas que una cláusula justa de secesión constitucional podría tener en Norman, 1998, pp. 50-55.

nado antes son persuasivas, todas o la mayoría de las subunidades resultarían favorecidas si cada una de ellas renuncia a su derecho de secesión. En términos más generales, la dificultad o la imposibilidad de una secesión de la nación estimulará la cooperación a largo plazo... (Sunstein 1991, p. 650).

Así, para Sunstein, las distintas partes no acordarían constitucionalizar la secesión por razones racionales; que es casi lo mismo que argumentar que no se debería reconocer el derecho de secesión en la constitución.

Creo que Sunstein tiene toda la razón al señalar las distorsiones de la política secesionista en un estado democrático. Todos los efectos que menciona aparecen de una forma u otra en las democracias plurinacionales con movimientos nacionalistas secesionistas —como Canadá, Bélgica, el Reino Unido y España—. La pregunta fundamental para la cuestión que abordamos aquí, sin embargo, es si es más probable que las políticas secesionistas sean *incentivadas* o *desincentivadas* por la «legalización» de la secesión. Ésta es una pregunta para la sociología y la psicología y sociología política, y no está nada claro que el pesimismo de Sunstein esté justificado.

No hay duda de que ha descubierto un auténtico mecanismo causal.[6] Una cláusula de secesión constitucional podría incentivar a los líderes de las subunidades (o de cualquier grupo al que se otorgara explícitamente el derecho a la secesión) a amenazar con separarse si no recibieran las concesiones que quieren en una amplia gama de cuestiones políticas. Llamémosle un «mecanismo incentivador» (*fuelling mechanism*) ya que alimenta una política secesionista. Éste no es, obviamente, el único mecanismo de este tipo. Está claro, por ejemplo, que la opresión y explotación de una región también puede incentivar una política secesionista. E incluso si no hay injusticia, puede venir de la presencia de grupos nacionalistas minoritarios a través de la idea de que *a*) el grupo minoritario en cuestión constituye una nación y, *b*) que las naciones tienen un derecho intrínseco a la autodeterminación y, finalmente, a la secesión, si así lo desean.

También se da una serie de lo que podemos llamar «mecanismos desincentivadores» (*choking mechanisms*) de una política secesionista, ya que sólo un porcentaje muy reducido de las minorías nacionales potenciales (donde la potencialidad se encuentra en la diferenciación étnica y lingüística) se convierten en identidades nacionales en toda regla, y mucho menos en movimientos secesionistas. La represión brutal contra los líderes de las minorías nacionalistas es un mecanismo desincentivador obvio, pero esto no es una opción en un estado democrático. Otro mecanismo desincentivador en muchos estados son las garantías de los derechos minoritarios, incluyendo los que están institucionalizados en un sistema federal (aunque se podría argumentar que esto también crea un posible me-

---

6. Para una discusión excelente de la idea de mecanismos causales en psicología política, véase Elster, 1993.

canismo incentivador al permitir que las minorías tengan estructuras políticas para construir sus propias identidades políticas).

La pregunta más interesante para este problema, sin embargo, es si, de acuerdo con Sunstein, una cláusula constitucional a favor de la secesión podría también funcionar como un mecanismo desincentivador para la política secesionista en algunos estados. Consideremos el caso de un estado plurinacional cuyos fundadores acordaron en el momento de su fundación incluir lo que Sunstein llama «un derecho condicionado de secesión». Supongamos que la principal condición de este derecho sea que deba acordarse por una mayoría de dos terceras partes dentro de la nación minoritaria en un referéndum que incluya una pregunta clara.[7] Puesto que el estado fue fundado (o refundado, por ejemplo, en el caso de un estado liberado de un imperio) con el entusiasmo de todas las partes sobre su permanencia, podríamos imaginar que tal cláusula no sería activada durante años o incluso generaciones. (Téngase presente la notable falta de amenazas de secesión en la Unión Europea, a pesar de la oposición de algunos estados miembros a algunas políticas y al hecho de que es posible una decisión unilateral de secesión sin que ni siquiera se celebre un referéndum.) Cuanto más tiempo exista la cláusula de secesión, más legítima se hace; y, más concretamente, más legítimo deviene el requisito de una supermayoría. (Pocos actores serios en los Estados Unidos, por ejemplo, cuestionan la legitimidad de las diversas mayorías cualificadas para, entre otras cosas, la destitución de un presidente, las enmiendas constitucionales, o la anulación por parte del Congreso del veto presidencial.)

¿Cómo podría una cláusula de este tipo actuar como un mecanismo desincentivador de la secesión? Principalmente, por ser más exigente que el umbral «democrático» de una mayoría simple que los líderes secesionistas podrían exigir en ausencia de una disposición constitucional formal. Si el nivel «natural» de apoyo para la secesión en una nación minoritaria o en una región está algo por debajo del 50 % (como es el caso, por ejemplo, en Quebec, Escocia, Flandes, Cataluña, el País Vasco español, Córcega, y el norte de Italia, por mencionar sólo algunos de los candidatos probables a la secesión en estados democráticos), los líderes nacionalistas podrían verse incentivados ante la posibilidad de aumentar el apoyo por encima de este umbral mediante una campaña política nacionalista. Lo podrían hacer con el fin de reforzar las demandas y amenazas dentro del sistema, o porque realmente prefieren la secesión. Pero si está claro que se necesita una supermayoría, podrían pensar que es inútil intentar crear el tipo de sentimientos nacionalistas y las reivindicaciones necesarias para convencer a

---

7. Una mayoría de dos tercios en una votación sobre la secesión es una característica de uno de los pocos procedimientos secesionistas del mundo —en la Constitución de St. Kitts-Nevis, un microestado de dos islas situado en el Mar Caribe—. En 1998 una mayoría, menor de dos tercios, en Nevis votaron a favor de separarse y el referéndum por consiguiente fracasó. No intento decir que un procedimiento secesionista democrático debe tener el requisito de una mayoría de dos tercios, sino que haría más difícil conseguir la secesión que con un sistema del cincuenta por ciento más uno sobre una cuestión planteada por los secesionistas.

una mayoría tan amplia dentro de un sistema que, por otra parte, es razonablemente justo y democrático. Tal cláusula, por lo tanto, actuaría claramente como un mecanismo desincentivador no solamente para la secesión, sino también para una política secesionista y nacionalista-minoritaria.

Es fácil identificar los mecanismos de la psicología política; el auténtico problema para la ciencia social es pronosticar cuáles de ellos se activarán en una situación determinada. ¿Actuaría una cláusula de secesión como un mecanismo incentivador, como insiste Sunstein, al despertar auténticas amenazas secesionistas allí donde no hubieran existido de otra manera?; o ¿es que las amenazas secesionistas que existen en nuestro mundo incluso en ausencia de una cláusula de secesión serían posiblemente «desincentivadas» por una cláusula legítima que estableciera la necesidad de una supermayoría (o algún otro tipo de «barrera constitucional»)?

A mí me parece bastante obvio que la respuesta a esta pregunta variará según el estado de que se trate. En algunas culturas políticas que de otra forma no recibirían presiones secesionistas, como quizás los Estados Unidos, una cláusula de secesión podría actuar como un mecanismo incentivador. En otros, es muy posible que desincentive movimientos secesionistas potenciales al colocar el umbral de apoyo necesario suficientemente alto como para restar credibilidad a las amenazas secesionistas y hacer contraproductivas las movilizaciones. Esto sugiere, como mínimo, que la conclusión más bien algo radical de Sunstein contra la conveniencia de un reconocimiento constitucional del derecho a la secesión no está justificada. Ello es también cierto en el caso concreto de los recién liberados estados del este de Europa, que fueron el objeto de las reflexiones de Sunstein. Cuando escribió su artículo, estos estados incluían los del Pacto de Varsovia, Yugoslavia y Albania, así como la todavía existente Unión Soviética y sus posibles estados sucesores. Este grupo abarca una gama tan amplia de culturas políticas, circunstancias históricas, y divisiones étnicas y territoriales que hace muy difícil cualquier generalización empírica.

3. Constitucionalizar la Secesión: más argumentos a favor

Además de la posibilidad de que una cláusula de secesión actúe más como mecanismo desincentivador que incentivador de la política secesionista, existen como mínimo cinco razones más para pensar que tal cláusula sería apropiada, o cuando menos no inapropiada, en las constituciones de algunos estados democráticos plurinacionales.

Podría argumentarse que la mayoría de las democracias constitucionales ya incluyen cláusulas de secesión en sus fórmulas de enmienda constitucional, pero en su formulación actual estas cláusulas son manifiestamente injustas. Un procedimiento habitual de enmienda constitucional puede siempre usarse para para eliminar una subunidad de la constitución, por así decirlo, mediante un cambio de las fronteras internacionales del estado que excluya el territorio en cuestión. Sin embargo, este procedimiento no siempre sería justo para las regiones secesionistas, ya que una fórmula habitual de enmienda otorga poderes de veto al gobierno central y, en las federaciones, a las otras subunidades. Por lo tanto, si una subunidad quisiera separarse porque se considerara explotada o minorizada sistemáticamente en las votaciones de toma de decisiones —una situación que la mayoría de los teóricos consideran que justifica la secesión— tendría que confiar en el apoyo de los mismos grupos e instituciones que habían hecho caso omiso de sus intereses en el pasado. Cabe presumir que una cláusula de secesión justa debería asegurar que la voluntad del pueblo de la subunidad (o del territorio definido de otra manera) fuera una condición decisiva para la secesión, o al menos para la legitimidad de las negociaciones que condujeran a la secesión.

De un modo similar, se podría concebir la secesión como el extremo lógico de otras características constitucionales legítimas, como la división federal de poderes o el poder legislativo abrogativo. La secesión es parecida al ejercicio del derecho de abrogación por parte de una subunidad cuando ésta sustituye la legislación federal por su propia legislación; o, más directamente, es como otorgar a una subunidad todos o casi todos los poderes que normalmente se reparten entre el gobierno federal y los gobiernos de las subunidades de una federación. Todas las constituciones federales permiten cambios en la división de poderes. Por lo tanto, se podría argumentar de nuevo que una cláusula de secesión no sería un instrumento extraordinario en una constitución moderna, sino simplemente, el extremo lógico de características que ya existen.

La existencia de una cláusula de secesión que no se utiliza podría considerarse como una prueba de que el estado está unido por consenso y no por la fuerza. Ello podría ser un potente símbolo en la cultura política. Los secesionistas tendrían más dificultades en el momento de desarrollar mitos de opresión histórica o de agravios si el grupo minoritario en cuestión tuviera un derecho a separarse que nunca hubiera utilizado.

Finalmente, podemos argumentar que allí donde se produce una política secesionista popular, la situación está pidiendo a gritos un marco legal que vele por la resolución justa y ordenada de este tipo de contienda política. Se llevaría a cabo un debate secesionista democrático de la misma manera que se hace en otros procesos de la política democrática: con campañas para referenda realizadas bajo una legislación justa, y con los partidarios del Sí y del No encabezados por los partidos políticos más importantes. Sin embargo, en el caso de una victoria de los secesionistas, veríamos que todo este proceso está fuera de las normas constitucionales. Es probable que los secesionistas insistan en las credenciales democráticas de una mayoría simple para justificar la secesión, y es probable que el gobierno central (con razón) considere insuficiente una victoria ajustada del Sí. En ausencia de reglas predeterminadas para contiendas secesionistas, una victoria de los secesionistas en un referéndum representa poco más que un fortalecimiento de la posición de los secesionistas en la lucha política. Situaciones de este tipo invitan a la violencia en muchas partes del mundo. Pero incluso donde la violencia estatal o paramilitar es improbable, estas situaciones son perjudiciales para la vida política y económica. Unas posiciones muy emotivas en ambos lados combinadas con unos mercados internacionales nerviosos posibilitan una situación desfavorable que las dos partes preferirían evitar mediante medidas constitucionales preestablecidas. Incluso en el caso de que existiera una mayoría suficientemente amplia a favor de la secesión que hiciera ver al gobierno central que no podría retener al territorio legítimamente, existirían muchos puntos de negociación que no se resolverían equitativamente debido a la fuerza de negociación relativa de los dos bandos. Estas cuestiones incluyen el problema creado cuando partes de la subunidad quieren quedarse con el estado original y partes del estado original quieren separarse con la subunidad; además de cuestiones como la división de las propiedades del gobierno central y la distribución de deudas o superávits. Los fundadores de la unión original podrían haber acordado una fórmula justa de división, pero difícilmente lo podrán hacer las partes que negocian un acuerdo de secesión. Una última razón para creer que sería mejor regular este proceso mediante procedimientos legales y no solamente a través de la fuerza de los hechos es que un proceso legal aseguraría que no hubiera, en ningún momento, una ruptura con el estado de derecho. Ello reduciría al mínimo el riesgo de violencia, pero más allá de ello podría considerarse como un objetivo intrínsecamente valioso en una democracia constitucional.

La analogía con el divorcio es útil en este contexto (Bauböck, 1999). El mismo Sunstein menciona la analogía, señalando que «una decisión para estigmatizar el divorcio o permitirlo solamente bajo algunas condiciones —tal como se ha hecho en casi todos los estados de los Estados Unidos— podría dar lugar a matrimonios más felices y estables al incentivar a los cónyuges a adaptar su comportamiento, e incluso sus deseos, hacia la promoción de una armonía a largo plazo» (Sunstein, 1991, p. 649.).

Asimismo, Sunstein sostiene que: «...en el contexto de la secesión, existen razones de peso para hacerla difícil» (p. 650.) Estoy de acuerdo, claro. Pero, la analogía parece ir en contra de los argumentos de Sunstein. ¿Por qué la dificultad de secesión debe derivar de las incertidumbres de una situación de parálisis política sin precedentes? La gran *des*analogía entre el divorcio y la secesión es que el primero está dentro de un marco legal —en efecto, la idea del divorcio, en contraposición a una mera separación permanente, *es* un concepto legal— mientras que la secesión está fuera de la jurisprudencia internacional[8] y de las constituciones de la in-

---

8.   La Carta de las Naciones Unidas, Artículo 1(2), afirma que uno de los objetivos principales de la Organización es «desarrollar relaciones amistosas entre las naciones basadas en el principio de igualdad de derechos y autodeterminación de los pueblos...». Los Artículos 55, 73, y 76(1) confirman este principio de la misma manera que lo hacen varias resoluciones posteriores. A pesar de que se invocó este principio durante el periodo de la descolonización, la mayoría de los expertos convienen en que no supone un derecho legal a secesión. La Declaración sobre Relaciones Amistosas de 1970 deja claro que este principio «no debe ser interpretado como una autorización o aprobación de cualquier acción que condujera al desmembramiento o debilitamiento, total o parcial, de la integridad territorial o la unidad política de estados soberanos o independientes», mientras tengan gobiernos que «representen a todas las personas del territorio sin distinción de raza, credo o color». Véase Buchheit, 1978; Eastwood, 1993; Thornberry, 1989.

mensa mayoría de los estados actuales.[9] O en otros términos, en la actualidad las leyes internacionales otorgan a los estados el derecho de tratar a sus territorios secesionistas de la misma manera que los maridos podían tratar a sus esposas «desobedientes» hasta bien entrado el siglo xx.[10] Hay una gran diferencia entre, por un lado, dificultar el divorcio o la secesión dentro de un marco legal y permitir, por otro lado, que la parte más fuerte decida, más o menos unilateralmente, el grado de dificultad que va a tener. La conclusión lógica de la analogía con el divorcio es que la secesión se mantendrá dentro de las reglas del estado de derecho.

4. La Secesión y el Estado Plurinacional

Me gustaría hacer hincapié en que no se debería interpretar mi argumento como un entusiasmo por la secesión. Al contrario, la secesión en el contexto de estados justos y democráticos es un hecho altamente lamentable. Sean cuales sean los hechos particulares de cada caso, tales secesiones representan símbolos de intolerancia. Puesto que casi todos los movimientos secesionistas importantes están basados en diferencias étnicas (por muy cívica y democrática que sea la retórica y los ideales de los secesionistas), ningún liberal puede alegrarse de que dos o más grupos étnico-culturales admitan que son incapaces de trabajar juntos en un espacio político común. En un mundo en que la mayoría de estados todavía no democráticos son multiétnicos —y normalmente entremezclados de manera que su desmembramiento pacífico es imposible—, nuestra única esperanza es que las democracias plurinacionales exitosas continúen existiendo como referencia y modelos de tolerancia democrática.

Dicho esto, también es verdad que hoy en día no hay nadie que lamente la separación de Noruega y Suecia a principios del siglo xx, o el hecho de que haya muchos países en el mundo (200 no es necesariamente peor que 20, aunque seguramente es mejor que 2000). El hecho de que algunos pueblos tienen sus propios estados, o en los que son mayoría, y que otros pueblos se encuentren como minorías, no es en la mayoría de los casos un accidente de la historia. La inmensa mayoría de los estados no se constituyeron de manera voluntaria como hicieron los Estados Unidos, Canadá o Australia. Muchas naciones minoritarias se han visto embarcadas en matrimonios políticos a los que nunca dieron su consentimiento. A menudo, estos matrimonios, cuando no han sido violentos, se han caracterizado por la falta de amor. La lamentable intolerancia y la desconfianza

9.   Tal como comentaré más adelante, el Tribunal Supremo de Canadá decretó en 1998 que el Gobierno de Canadá tendría la obligación constitucional de negociar la secesión de Quebec si una clara mayoría de la provincia votara a favor de separarse en un referéndum con una pregunta clara. No obstante, el Tribunal votó en contra de la legalidad de una secesión *unilateral* bajo las leyes canadienses o internacionales.

10.   Véase como ejemplo la terrible descripción de J. S. Mill sobre la esclavitud legal de las esposas en Inglaterra hasta mediados del siglo xix en *The Subjection of Women*.

mutua que he señalado son, pues, una realidad de la vida. Parecería que en estas situaciones, el divorcio o la secesión legal, sólo estarían oficializando una situación que ya existía. En estos casos se debería legalizar la secesión por la misma razón que la mayoría de los votantes irlandeses acordaron, en 1995, legalizar el divorcio —a pesar de que, como buenos católicos, también prefieran las familias unidas.[11]

Menciono esto como una última crítica a la recomendación explícita de Sunstein sobre la tradición del constitucionalismo americano para los estados en vías de democratización de la Europa del Este. Es erróneo considerar esta tradición como un mero sistema para producir un buen gobierno. *The Federalist*, que Sunstein cita constantemente, deja claro que el objetivo es también facilitar la aparición de lo que llamamos ahora una nación homogénea y unificada. Pero el contraste entre la fundación de este estado joven y (en realidad considerado) étnicamente homogéneo,[12] y la refundación de los estados del este de Europa no puede ser mayor. Estos últimos incluyen en gran medida grupos minoritarios nacionales distintos que no tienen ninguna intención de asimilarse a la cultura y lengua mayoritarias.[13] Una refundación verdaderamente democrática de estos estados (algo que en la mayoría de los casos *no* ha ocurrido) tendría que tomar esto en cuenta e, idealmente, sus constituciones deberían reflejar una asociación entre pueblos, además de entre ciudadanos iguales.[14] Esto podría manifestarse simbólicamente en forma de un reconocimiento de la plurinacionalidad, por ejemplo, en el preámbulo de la constitución, y más concretamente en términos de derechos lingüísticos, de acuerdos federales y consociales, de derechos especiales de representación y veto, etc.[15] Si estos grupos insistieran en la inclusión de una cláusula de secesión, se podría considerar como una barrera legítima contra la todavía no probada buena voluntad de la nación mayoritaria. Una razón que desaconseja la recomendación de la tradición constitucional americana para estos estados es que aumenta el poder de los grupos nacionales mayoritarios que a menudo han oprimido a sus minorías en nombre de normas universales. En definitiva, no hay nada menos apropiado que animar a los líderes eslovacos o serbios a tratar a sus estados como «crisoles» o «melting pots». No

---

11.   Para un argumento mucho más elaborado sobre por qué se debe permitir la secesión de grupos que no tienen una «causa justa» como una consecuencia lamentable de la secesión constitucionalizada, véase Norman, 1998, pp. 50-56.

12.   Obviamente me refiero a la «versión oficial» de la fundación de la federación americana, que implicaba una clase política en su mayor parte anglosajona. Los esclavos africanos y los indios americanos reciben muy poca atención en la Constitución o en los *Federalist Papers*.

13.   Para una discusión clara sobre la relevancia política de la distinción entre grupos inmigrantes étnicos del tipo que se encuentran en los Estados Unidos y otras minorías, véase Kymlicka, 1995, cap. 2. Para una discusión detallada de las relaciones interétnicas en algunos estados del este y centro de Europa, así como sobre lo que pueden aprender de las democracias occidentales, véase Opalski, 1998 y Opalski y Kymlicka, 2001.

14.   Véase el capítulo de Fossas en este volumen para una discusión más detallada de las relaciones y tensiones entre la igualdad de los ciudadanos, las subunidades federales, y los «pueblos fundadores».

15.   Para un estudio de las relaciones y tensiones entre derechos minoritarios y ciudadanía común, véase Kymlicka y Norman, 2000.

es insignificante que la metáfora más común para esta parte del mundo sea la de un «polvorín».

5. La Consulta sobre la Secesión *(Secession Reference)* al Tribunal Supremo de Canadá: descubriendo un Procedimiento Constitucional cuando el Texto no dice nada

Se aportó algo más de luz sobre la cuestión de la idoneidad de una cláusula de secesión en la constitución de un estado plurinacional democrático cuando el Tribunal Supremo de Canadá consideró la cuestión en agosto de 1998. Poco después de que el bando federalista ganara con una victoria ajustada en el referéndum secesionista de Quebec en octubre de 1995 (es decir, ¡poco después de que los federalistas casi perdieran el referéndum!), el ministro de Justicia canadiense buscó formalmente la opinión del Tribunal Supremo sobre la legalidad de la secesión unilateral de Quebec según las leyes canadienses e internacionales. Al igual que casi todas las constituciones, el texto de la Constitución canadiense no menciona la cuestión de la secesión. El Tribunal dejó claro, sin embargo, que desde su punto de vista «la Constitución es más que un texto escrito. Abarca todo el sistema global de normas y principios que rigen el ejercicio de la autoridad constitucional». Estas normas y principios «surgen de una comprensión del mismo texto constitucional, del contexto histórico, y de las interpretaciones judiciales anteriores de significado constitucional» (párrafo 32). A partir de ello, el Tribunal elaboró una rica discusión sobre las normas y los procedimientos constitucionales que deben regir cualquier intento de Quebec de separarse de Canadá. De hecho, el Tribunal «escribió» una cláusula de secesión en la Constitución. A pesar de que las reglas y los procedimientos que recomienda son incompletos en muchos sentidos —el Tribunal intencionadamente evita cuestiones polémicas que considera más propio dejarlas para los políticos— estas reglas y procedimientos ganaron una considerable legitimidad cuando tanto el gobierno federal como el gobierno del *Parti Québécois* en Quebec apoyaron ampliamente la Opinión del Tribunal.

No hay suficiente espacio aquí para analizar la Consulta detalladamente. Lo que sí vale la pena comentar, sin embargo, es cómo el Tribunal intenta equilibrar algunos valores a veces conflictivos con el fin de juzgar la compatibilidad de la secesión con la «tradición canadiense» de la democracia, el constitucionalismo, y el federalismo. En general, creo que sus argumentos concuerdan con lo que he argumentado anteriormente en este capítulo, sobre todo el énfasis en el estado de derecho, la insistencia en que la democracia es más que «un sistema de gobierno mayoritario» (párrafo 76), y la clara interpretación de que el constitucionalismo abarca mucho más que una serie de estrategias de precompromiso (pese a que los jueces utilizan de manera explícita referencias históricas sobre los moti-

vos de los padres de la Constitución; por ejemplo, en la sección III[2]).
Más específicamente, los jueces argumentan que:

> Desde nuestro punto de vista, existen cuatro principios fundamentales y
> organizativos en la Constitución que son relevantes en el momento de abordar
> la cuestión que tenemos delante (aunque esta enumeración dista de ser exhaus-
> tiva): el federalismo; la democracia; el constitucionalismo y el estado de dere-
> cho; y el respeto de las minorías (párrafo 32).

En otra sección, la Opinión de los jueces aclara que el «respeto de las
minorías» significa respeto de los *derechos* de las minorías (párrafo 49).
También observa que *estos principios funcionan en simbiosis. Ningún
principio puede ser definido sin tener en cuenta los demás, y ningún principio prevalece o excluye la operatividad de cualquier otro* (párrafo 49). En la
discusión posterior a estos cuatro principios se hace hincapié, entre otras
cosas, en el vínculo esencial entre la elección por parte de Canadá de un
sistema federal y las aspiraciones de la minoría de habla francesa que representa la mayoría en Quebec (párrafo 59); en que *la democracia en cualquier sentido auténtico de la palabra no puede existir sin el estado de derecho*; en que *para tener legitimidad, las instituciones democráticas deben
basarse, en última instancia, en fundamentos legales* (párrafo 67); y en que
el requisito de mayorías amplias para lograr cambios constitucionales
está justificado en parte para proteger los intereses de las minorías que se
verían afectadas por estos cambios.

Para los objetivos de las cuestiones tratadas en este capítulo, la opinión final del Tribunal sobre las cuestiones formuladas en la Consulta es
menos interesante que las consideraciones que cree relevantes para sus
argumentos. El Tribunal concluye, sin que ello sorprenda a nadie, que
Quebec no tiene ningún derecho a separarse *unilateralmente* según la ley
canadiense (ni tampoco según la ley internacional, aunque no me ocupo
de este tema aquí). La mayoría de los observadores (incluyendo, presumiblemente, el ministro de Justicia federal que hizo la Consulta) pronostica-
ron esta conclusión, desde el momento que la secesión de Quebec significaría cambiar varias cláusulas de la Constitución que requieren el apoyo
de todas las provincias y del gobierno federal. Los argumentos del Tribunal, sin embargo, son mucho más sofisticados y trascendentales que eso:
cree que la secesión unilateral violaría *los cuatro* principios fundamentales que había identificado, y no solamente la fórmula de reforma formal.
Es más, el Tribunal eligió ir más allá de las preguntas específicas que se le
habían hecho para pronunciarse sobre los procesos que legitimarían o
deslegitimarían un intento ya sea por parte del gobierno de Quebec de separarse, o por parte del gobierno de Canadá de resistir el intento de secesión de Quebec. Aquí el Tribunal argumenta que «una mayoría clara en
Quebec a favor de la secesión a partir de una pregunta clara otorgaría legitimidad democrática a la iniciativa secesionista que todos los demás
participantes de la Confederación tendrían que reconocer». Se niegan a

especificar qué constituiría una «pregunta clara» y qué nivel de apoyo representaría una «mayoría clara»,[16] sin embargo, se expresan con claridad al indicar que la legitimidad democrática de tal resultado obligaría al gobierno federal a negociar de buena fe.[17]

Es significativo que el más alto tribunal constitucional de la tercera federación más antigua del mundo haya establecido que un proceso legal de secesión no solamente es coherente con el federalismo democrático, sino que, de hecho, es un *requisito* del mismo. Pero también vale la pena subrayar algunas de las deficiencias de la interpretación de los jueces, considerada como un sustituto para una cláusula de secesión justa y equitativa. Como ya se ha comentado, no se precisa lo que representaría una mayoría clara (aunque se insinúa que una mayoría cualificada sería apropiada para un cambio tan radical que va en contra de la voluntad de las minorías),[18] ni tampoco lo que representaría una pregunta clara (aunque la mayoría de los observadores reconocen que la pregunta del referéndum de 1995 fue de todo menos clara).[19] Tampoco el Tribunal dice mucho sobre quién debe estar en la mesa de negociaciones; sobre qué significaría «negociar de buena fe»; y sobre qué pasaría si se rompieran las negociaciones a pesar de que ambos lados consideraran que estaban negociando de buena fe. Esto no es una crítica al Tribunal. Al contrario, existen buenas razones para desear que los jueces se abstengan de pronunciarse sobre tales cuestiones.

Un año y medio después de la Opinión del Tribunal Supremo, el gobierno federal de Canadá presentó una legislación en el Parlamento que abordó el reto lanzado por el Tribunal a los políticos elegidos; es decir, la concreción de lo que significaría una «clara mayoría» y una «pregunta clara». Esta legislación —la Ley de la Claridad (*Clarity Act*)— no va mucho

16. En el resumen de su respuesta a la Pregunta 1, el Tribunal escribe: *Las obligaciones identificadas por el Tribunal son vinculantes bajo la Constitución. No obstante, es responsabilidad de los actores políticos determinar qué constituye «una mayoría clara sobre una pregunta clara» en las circunstancias bajo las cuales se podría llevar a cabo un referéndum.*

17. *...la conducta de las partes* [negociando después de una amplia victoria del lado secesionista en Quebec en un referéndum] *cobra un significado constitucional de primer orden. Es necesario llevar a cabo el proceso negociador con un ojo puesto en los principios constitucionales que hemos esbozado, que deben estar presentes en las acciones de todos los participantes en el proceso negociador. La negación por parte de una de las partes a llevar las negociaciones de una manera consecuente con los principios y valores constitucionales pondría en grave peligro la legitimidad de los derechos de esta parte, y quizá el proceso negociador en su totalidad* (secciones 94-95 de la Consulta).

18. Véase, por ejemplo, las secciones 77, 87.

19. La pregunta formulada por el gobierno del *Parti Québécois* en el referéndum de octubre de 1995 fue: *¿Está Vd. de acuerdo que Quebec debe devenir soberano, después de haber hecho una oferta formal a Canadá para una nueva asociación económica y política, dentro del ámbito del proyecto de ley sobre el futuro de Quebec y del acuerdo firmado el 12 de junio de 1995? ¿Sí o No?* Un intenso debate en la Asamblea Nacional de Quebec no pudo acordar añadir la palabra «país» después de la palabra «soberano», presumiblemente porque el gobierno del PQ sabía muy bien que los sondeos demuestran constantemente que el apoyo para un Quebec «soberano» es a menudo un 20 % más alto que el apoyo para que sea un «país soberano». El proyecto de ley mencionado en la pregunta es un proyecto complejo que reclama una declaración de independencia si la oferta de asociación resulta rechazada. Y el acuerdo del 12 de junio es entre los líderes de los tres partidos nacionalistas de Quebec. Los sondeos indicaron que más de una cuarta parte de los que votaron «Sí» creyeron que Quebec se quedaría dentro de Canadá y continuaría enviando sus representantes al Parlamento de Ottawa después de una victoria del «Sí».

más allá de los criterios y las justificaciones establecidas por el Tribunal, y notablemente, se niega a dar un número de lo que constituiría una clara mayoría. Sin embargo, establece un procedimiento relativamente transparente y una cronología concreta para que el gobierno federal se pronuncie sobre estas cuestiones. La Cámara de los Comunes tendría que comunicar si considera que una pregunta de referéndum es clara en el plazo de 30 días siguientes a su adopción en una legislatura provincial; es decir, mucho antes del final de una campaña de referéndum. Y si la Cámara decidiera que la pregunta «*no representa la clara expresión de la voluntad de la población de esa provincia sobre si esta última debe dejar de formar parte de Canadá*», entonces la Ley de la Claridad impediría que el Gobierno de Canadá entrara en negociaciones «*sobre los términos en que [la] provincia podría dejar de formar parte de Canadá*». Por añadidura, la Ley también ofrece pistas sobre dos tipos de pregunta que *no* se considerarían claras para el objetivo de iniciar negociaciones sobre la secesión: preguntas dirigidas solamente a establecer un mandato de negociar sin «solicitar una expresión directa de la voluntad» de separarse; y una pregunta que «considerara otras posibilidades además de la secesión» como, por ejemplo, una asociación política y económica renovada con Canadá. En realidad, esta cláusula indica que no se le permitiría al gobierno federal negociar la secesión a partir de las victorias del Sí con el tipo de preguntas utilizadas en 1980 o 1995 por los gobiernos del *Parti Québécois* en Quebec. La Ley de la Claridad también exige que la Cámara de los Comunes se pronuncie sobre si cree que una «mayoría clara» de una provincia votó a favor de la secesión, aunque, como indiqué hace un momento, no establece una cifra concreta. Sin embargo, sí que indica que la Cámara tomaría en cuenta muchos factores, incluyendo no sólo si hay una mayoría de *votantes* a favor, sino también que los votantes fueran una mayoría del censo. Y para determinar la claridad tanto de la pregunta como de la mayoría, la Ley indica que la Cámara de los Comunes debería tomar en cuenta no solamente las opiniones de sus propios diputados, sino también las de los partidos de la oposición en la provincia que está contemplando separarse, además de las resoluciones formales de otras legislaturas en Canadá y «cualquier otro punto de vista que considere relevante». Se interpreta que esta última expresión incluiría, en el caso de otro intento de secesión por parte del Gobierno de Quebec, los puntos de vista de los grupos aborígenes que representan la mayoría de los habitantes en gran parte del territorio escasamente poblado del norte de la provincia.

La Ley de la Claridad es, a mi juicio, un buen indicador del límite de lo que un gobierno central puede estipular como condiciones para negociar la secesión una vez que una tradición de política secesionista se encuentra bien establecida en la cultura política. Concede el derecho a una provincia a separarse, y deja también claro que no existe el derecho automático de separarse unilateralmente o con una mayoría ajustada a través de una pregunta confusa. Y mientras que no va mucho más allá de los criterios establecidos por la Opinión del Tribunal Supremo, probablemente deja más claro a los ciudadanos de Quebec y Canadá qué pasaría en el caso de una victoria del Sí en una pregunta sobre la secesión o cuasi secesión. De esta manera mejora las cosas ligeramente (significativamente, dado el apoyo potencial por la secesión en Quebec), y elimina la incertidumbre sobre lo que pasaría, así como cualquier idea falsa de que la secesión sería fácil y automática con una victoria mínima. Como resultado, podría disuadir a futuros gobiernos nacionalistas de Quebec de convocar referenda secesionistas (ya que los sondeos casi nunca han indicado una mayoría —y mucho menos una mayoría clara— a favor de la secesión cuando la pregunta es clara, o como mínimo hace que sea más difícil que se hagan preguntas deliberadamente confusas, vagas, o ambiguas). Dicho esto, medidas como las propuestas por la Ley de la Claridad no tendrían un efecto muy disuasorio sobre la política secesionista en muchos otros estados, sobre todo en aquellos que no gozan de largas tradiciones democráticas, donde la marginación de un grupo minoritario es más profunda.

Tomadas en conjunto, la Opinión del Tribunal Supremo de Canadá y la Ley de la Claridad no representan más que una tibia «juridificación» de las normas de secesión comparadas con a) lo que podrían estar dispuestos a establecer grupos ilustrados al fundar un estado, o b) lo que se podría consensuar durante negociaciones constitucionales en una especie de *quid pro quo* que ofreciera a una nación minoritaria nuevas competencias importantes a cambio de consolidar procedimientos que hicieran más difícil la secesión. En ambos casos, se podría elevar el listón de la secesión y darle un perfil más concreto (por ejemplo, el requisito de una mayoría de 2/3 a favor, la especificación de la pregunta exacta que se utilizaría, o la estipulación de que no se podría convocar más de un referéndum sobre la secesión en una provincia durante un período de 15 a 20 años). Tales medidas concretas que posibilitaran, pero de una manera difícil la secesión, podrían ser legitimadas a través de un acuerdo entre la nación (o naciones) minoritaria(s) y el gobierno central, y estarían en la línea argumentativa de que sólo se debe alentar la secesión cuando exista una causa justa (como la represión sistemática de un grupo minoritario).[20] El efecto principal de tales medidas en muchas culturas democráticas sería el de disuadir desde el principio a los nacionalistas minoritarios de jugar a la política secesionista (es decir, de animarlos a trabajar para la movilización nacional y los derechos de las minorías en otros foros democráticos). Y es aquí donde vemos por qué el tipo de interpretación judicial establecido recientemente en Canadá nunca podrá considerarse un sustituto adecuado para una cláusula de secesión ilustrada, acordada y legitimada de antemano. Es obvio que la revelación final de una cláusula implícita de secesión en la Constitución canadiense en 1998 (además de su clarificación en una ley federal en el año 2000) no tuvo ningún impacto dinámico sobre la decisión de los nacionalistas democráticos de Quebec de empezar a buscar la

---

20.   Para una defensa general de la llamada teoría de la «causa justa» de la secesión, véase Norman, 1998 y Buchanan, 1998.

secesión en los años sesenta y setenta. Sin embargo, un orden constitucional prudente en un estado razonablemente democrático intentaría resistir una política secesionista tanto (o incluso más que) la secesión misma.

6.   Conclusión

He afirmado que en algunos estados, sobre todo en estados plurinacionales en los que existe una posibilidad real de política secesionista, sería apropiado disponer de normas para la secesión bien establecidas en la constitución. Mis razones principales no provienen de un entusiasmo por la secesión, sino porque *a*) es probable que se produzca una política secesionista en estos estados con o sin una cláusula de este tipo; y *b*) cuando aparece esta política invita al desorden político y a la violencia, reduce la cantidad de tiempo y la energía política disponible para otros temas públicos urgentes, y es improbable que se resuelva de una manera tan justa como se hubiera podido hacer con una serie de pautas anteriores; y *c*) es razonable pensar que una cláusula justa de secesión podría servir, al menos en algunos casos, como una medida disuasoria a la formación de una política secesionista en lugar de alentarla. La Opinión del Tribunal Supremo de Canadá incluso va más lejos (aunque no he intentado reproducirla aquí), afirmando que una aproximación democrática a la secesión es una *continuación lógica* de una concepción avanzada del constitucionalismo democrático, el estado de derecho, el federalismo y los derechos minoritarios.

En definitiva, a menudo sería razonable, justo e inteligente que los pueblos democráticos en vías de fundar o reformar un estado incluyeran una cláusula de secesión en su constitución. No se debería necesitar otra razón que ésa para demostrar que la secesión puede ser democrática —a pesar de que la decisión de separarse sería, al igual que otras muchas decisiones democráticas, lamentable.

Referencias

Barry, Brian. 1983 (1991): Self-Government Revisited. En *Democracy and Power*. Oxford: Oxford University Press.

Bauböck, Rainer (1999): Why Secession is Not Like Divorce', en *Nationalism and Internationalism in the Post-Cold War Era*, Kjell Goldmann, Ulf Hannerz y Charles Westin (ed.) Londres: UCL Press.

Beran, Harry (1984): A Liberal Theory of Secession. *Political Studies* 32.

Buchanan, Allen (1991): *Secession: The Morality of Political Divorce from Fort Sumter to Lithuania and Quebec*. Boulder: Westview Press.

— (1998): «Democracy and Secession», en *National Self-Determination and Secession*, M. Moore (ed.) Oxford: Oxford University Press.

Buchheit, Lee (1978): *Secession: The Legitimacy of Self-Determination*. New Haven: Yale University Press.

Copp, David (1997): Democracy and Communal Self-Determination. En *The Morality of Nationalism*, J. McMahan y R. McKim (eds.) Nueva York: Oxford University Press.

Derriennic, Jean-Pierre (1995): *Nationalisme et Démocratie*. Montréal: Boréal.

Eastwood, Lawrence (1993): Secession: State Practice and International Law After the Dissolution of the Soviet Union and Yugoslavia. *Duke Journal of Comparative and International Law* 3.

Elster, Jon (1993): *Political Psychology*. Cambridge: Cambridge University Press.

Gauthier, David (1994): Breaking Up: An Essay on Secession. *Canadian Journal of Philosophy* 24.

Kymlicka, Will (1995): *Multicultural Citizenship: A Liberal Theory of Minority Rights*. Oxford: Oxford University Press.

Kymlicka, Will y Wayne Norman (eds.) (2000): *Citizenship in Diverse Societies*. Oxford: Oxford University Press.

Moore, Margaret (1997): «On National Self-Determination». *Political Studies*, 45.

— (1998): *National Self-Determination and Secession*, Oxford, Oxford University Press.

Nielsen, Kai (1993): Secession: The Case of Quebec. *Journal of Applied Philosophy* 10.

Norman, Wayne (1998): The Ethics of Secession as the Regulation of Secessionist Politics. En *National Self-Determination and Secession*, M. Moore (ed.). Oxford: Oxford University Press.

Opalski, Magda (ed.) (1998): *Managing Diversity in Plural Societies: Minorities, Migration and Nation-building in Post-Communist Europe*. Ottawa: Forum Eastern Europe.

Opalski, Magda y Will Kymlicka (eds.) (en prensa). *Can Liberal Pluralism be Exported?* Oxford: Oxford University Press.

Philpott, Daniel (1994): In Defense of Secession. *Ethics* 105.

Reference re Secession of Quebec, [1998] 2 S.C.R. 217 (Supreme Court of Canada).

Sunstein, Cass (1991): Constitutionalism and Secession. *University of Chicago Law Review* 58.

Thornberry, Patrick (1989): Self-Determination, Minorities, Human Rights: A Review of International Instruments. *International and Comparative Law Quarterly* 38.

Wellman, Christopher (1995): A Defense of Secession and Political Self-Determination. *Philosophy and Public Affairs*.

PARTE III

EL PLURALISMO NACIONAL
Y LA UNIÓN EUROPEA

CAPÍTULO 5

LA PLURALIDAD NACIONAL EN UN MISMO ESTADO Y EN LA UE

Carlos Closa

1. Introducción

Las discusiones sobre el multiculturalismo, la pluralidad nacional y la ciudadanía a menudo están centradas en la ciudadanía de la Unión Europea. Esta «nueva» institución atrae simultáneamente como test y como una posible solución para algunas de las cuestiones más apremiantes planteadas en otros escenarios. Sin embargo, la ciudadanía de la UE ofrece muchos más problemas sin resolver que respuestas a dichas cuestiones. Los debates sobre el tema pendiente de definir los contornos de los Estados plurinacionales ejemplifican esta situación. Por un lado, la ciudadanía de la UE puede ser considerada como un posible instrumento, que proporcione una alternativa institucional más difusa, en el momento de derivar derechos e identidad que la que proporciona la ciudadanía de los Estados Miembros. No obstante, la realidad no cumple las expectativas. En la presente etapa de desarrollo, la contribución de la ciudadanía de la UE al arreglo de los temas de la pluralidad nacional es principalmente simbólica y, en términos prácticos, más prospectiva que efectiva. Esta situación permite, por tanto, un punto de vista prospectivo en el que los argumentos normativos preceden y destacan a las construcciones institucionales.

Este capítulo se centra en la exploración del tema de la pluralidad nacional dentro de los Estados Miembros. Por pluralidad nacional entiendo la situación bien conocida en la que un Estado incluye varias colectividades nacionales. Con el fin de dar contenido a la discusión sobre el posible rol de la ciudadanía de la UE en las cuestiones de pluralidad estatal o nacionalismo minoritario en el seno de la UE, este capítulo examina la ciudadanía de la UE y algunas otras estructuras institucionales. La primera sección describe la ciudadanía de la UE como una manifestación de ciudadanía post-nacional. Si la ciudadanía se ha movido tradicionalmente en el entorno conceptual del Estado-nación, la ciudadanía de la UE ha de ser entendida principalmente en el contexto de la redefinición de los vínculos tradicionales entre derecho e identidad, por una parte, y en el de la estatalidad, por otra. Así, el estatuto jurídico positivo que tiene la ciudadanía de la UE se hace factible por la separación de los estatutos (y conceptos) de nacionalidad (vinculada a los Estados Miembros) y ciudadanía (entendida principalmente como un conjunto de derechos). La construcción teórica y legal de la ciudadanía de la UE es consistente con las nociones deductivas de la ciudadanía, y específicamente con el cosmopolitismo. En la segunda sección se presenta una reflexión sobre las demandas o requisitos empíricos que se pueden establecer manteniendo a la vez la coherencia normativa. Más específicamente, esta sección enumera requisitos teóricos para hacer compatible la fundamentación de la ciudadanía de la UE con las demandas de la pluralidad nacional existente. La UE puede ofrecer disposiciones garantistas generales para los derechos de la minorías y estructuras institucionales generales para las unidades subestatales. Esta última opción, que es analizada en la tercera sección, no resuelve sin embargo de una forma totalmente satisfactoria las demandas de las unidades territoriales. Las estructuras institucionales para las regiones y las entidades subestatales en el interior de la UE abren algunas oportunidades políticas y legitiman algunas de sus demandas políticas. Pero hasta ahora, la emergencia de una «Europa de la regiones» está lejos de ser una realidad y, paradójicamente, la UE ha tenido un efecto estandarizador no intencionado que reduce la relevancia de las reivindicaciones del nacionalismo minoritario o diferencial. Finalmente, la cuarta sección dirige su atención hacia los efectos de la configuración institucional del gobierno multinivel de la UE en los individuos, desde la asunción de que las instituciones no cristalizan simplemente demandas sociales y políticas preexistentes, sino que por su propia existencia se convierten en referencias para la identidad.

2. La ciudadanía de la UE: el modelo post-nacional

La ciudadanía de la UE puede ser considerada como una manifestación de los cambios profundos en las instituciones de la modernidad, producidos por lógicas, como la integración regional y/o la globalización, que durante la segunda mitad del siglo XX han inducido una reconfiguración de los Estados-nación. Mientras que la teoría clásica del Estado establecía una noción canónica de la dominación política alrededor de la tríada de un pueblo, un territorio y una (única) soberanía, la integración europea (al igual que la lógica de la globalización) comporta como mínimo una relativización de estos tres elementos.

Los cambios afectan, primero, a la propia noción de ciudadanía, alrededor de la cual se ha organizado últimamente la reflexión sobre la condición humana. En el fundamento republicano del siglo XIX, el concepto de ciudadanía parecía más estrechamente conectado con una dimensión participativa y con la cuestión de los derechos políticos. La revisión de Marshall subrayó la relevancia de los derechos sociales en esta construcción y, en paralelo, puso a la ciudadanía como la pieza central del desarrollo político.

El giro introducido por el nuevo contexto de la globalización apunta hacia formas más complejas de articulación entre los derechos y la identidad. En concreto, uno de los acontecimientos más influyentes es el debilitamiento del vínculo entre derechos e identidad nacional construido por la ideología del Estado-nación. La globalización motiva dos procesos simultáneos: los discursos a nivel global y la revalorización de las culturas locales (glocalización), actuando ambos como fuentes de construcción de identidad, derechos, y más recientemente, de ciudadanía. Dentro del contexto globalizado, los derechos humanos ganan aceptación como una base alternativa para el *estatus* individual. Los diseños institucionales internacionales se están lentamente haciendo más fuertes, e incluso a nivel estatal la ampliación de los derechos fundamentales a todos los residentes legales refleja este giro universalista. Las comunidades locales, por su parte, encuentran también la situación adecuada para la afirmación de sus características idiosincráticas.

La institución de la ciudadanía de la UE ha sido construida sobre este fondo moral y político cambiante. Sin embargo, el realismo sugiere una rebaja de las expectativas: a pesar del enriquecimiento a través de doctrinas legales, políticas y sociológicas, la ciudadanía de la UE es, por encima de todo, un estatuto jurídico compuesto por un conjunto de derechos. Entre estos derechos, se pueden distinguir tres categorías diferentes. En primer lugar, algunos derechos son explícitamente construidos como derechos de ciudadanía. Un segundo grupo de derechos deriva de disposiciones de los Tratados orientadas a políticas públicas (por ejemplo, la política social). Finalmente, la tercera categoría está construida alrededor de algunas disposiciones (por ejemplo, la cohesión económica y social). A diferencia de las anteriores, se puede discutir si estas últimas disposiciones de los Tratados construyen derechos o no.

La creación de este estatuto jurídico positivo depende de mecanismos políticos y técnicos. En el lado político, la apelación a los derechos de ciudadanía se ha convertido en un poderoso instrumento de legitimación para el desarrollo de una nueva *polity* (la UE) (Lyons 1996) y de algunas de sus políticas específicas. En el lado de la técnica jurídica, ha hecho posible la ruptura entre nacionalidad y ciudadanía. Por nacionalidad me refiero al estatuto jurídico que expresa el vínculo entre un Estado y un individuo. Debería prestarse atención a que este concepto no es exactamente simétrico con la noción sociológica del hecho nacional que también expresa pertenencia. Mientras que la nacionalidad establece, en términos legales positivos, la pertenencia a un Estado el hecho nacional se refiere a un colectivo humano, con independencia de su *estatus* como poder soberano. Nacionalidad y hecho nacional no son coincidentes, si bien en los Estados-nación hay una presunción de superposición entre ambos. La creciente afirmación de la plurinacionalidad (que no reivindica condición plena de Estado) dentro de los Estados miembros ha dado recientemente sentido a esta distinción.

Sobre este trasfondo, el estatuto jurídico de la ciudadanía de la UE refleja un proceso en curso de disociación (tanto dentro de los Estados como por encima de ellos) entre derechos (ciudadanía) y nacionalidad (como el título jurídico exclusivo de los derechos). Este proceso ha sido calificado como ciudadanía post-nacional, en una coincidencia afortunada entre autores de diferentes disciplinas intelectuales. Sociólogos, como Yasemin Soysal, usan este término para describir *un modelo nuevo de pertenencia, anclado en los derechos universales de la condición humana, donde la identidad y los derechos, los dos elementos de la ciudadanía, son disociados* (Soysal, 1994). Esta autora concluye a partir de la evidencia empírica que la actuación, más que la «pertenencia», se está convirtiendo en el elemento central para definir la participación (Soysal, 1996). De forma similar, teóricos legales como Luigi Ferrajoli han argumentado que en términos lógicos (y morales), la condición humana es un estatuto alternativo a la ciudadanía para el anclaje de los derechos. En términos normativos, postula la revalorización del estatuto de «personalidad legal» como alternativa a la ciudadanía nacional (Ferrajoli, 1993). A partir de esto, se construye una nueva taxonomía de derechos *rationae personae* en la que la asunción básica de Marshall de la atribución a los ciudadanos de los derechos civiles, políticos y sociales es puesta en cuestión (Ferrajoli, 1999).

En ambos casos, las construcciones teóricas están fundadas (o confirmadas) a partir de la evidencia empírica que, en palabras muy simples, podría ser resumida en la siguiente frase: el constitucionalismo moderno avanza garantizando derechos (los fundamentales y otros) a casi todos los residentes (con independencia de la nacionalidad), y sólo los derechos políticos se restringen a los ciudadanos. Filósofos y teóricos políticos, como Habermas o Ferry, han proporcionado un argumento teórico normativo en el que basar este desarrollo.

La evaluación del impacto de este avance en la comprensión moral tradicional del Estado-nación es necesariamente ambigua. Por un lado, las fuentes para la re-configuración de la ciudadanía nacional no se restringen a las proporcionadas por las comunidades nacionales: derecho internacional, conocimiento de otras culturas, etc., han alimentado las discusiones sobre la identidad con nuevos puntos de referencia. Pero, por otro lado, estos cambios derivan también tanto del desarrollo lógico de los requisitos morales para el estatuto de ciudadanía (nacional) —como la igualdad—, como de los procesos discursivos de la democracia (nacional). Las discusiones democráticas sobre la ciudadanía llevan a una acomodación de derechos cuya fuente puede estar en el contexto global. Así, lo que se provoca es una redefinición de la comprensión moral del Estado-nación.

Lo que no ha cambiado de manera tan importante en este nuevo escenario es que las autoridades (políticas y judiciales) del Estado-nación siguen siendo las que tienen la responsabilidad de garantizar esta disociación. Los Estados son aún la condición para la validez de los derechos. A pesar de la creciente disponibilidad de alternativas institucionales (como la propia UE), los Estados-nación continúan siendo el marco principal para la validez de los derechos; y los derechos humanos no han desplazado todavía a los derechos fundamentales en el constitucionalismo contemporáneo. Esta paradoja está bien expresada en la visión de la UE como una respuesta adaptativa del Estado-nación con el fin de retener su soberanía.

Dejando de lado los defectos, los autores coinciden cada vez más en identificar a la ciudadanía europea como una forma de ciudadanía post-nacional (Bauböck, 1997; Shaw, 1997). Las disposiciones que garantizan la identidad y la ciudadanía de los Estados Miembros refuerzan el perfil de un estatuto distanciado del substrato identitario, cuyas opciones para el desarrollo han sido revisadas en otro lugar (Closa, 1998). Una segunda influencia afecta a la futura configuración de la ciudadanía de la UE: el relativo debilitamiento de las suposiciones de la modernidad que pone en la razón la fuente de la construcción deductiva de los derechos. Más concretamente, la lógica de la globalización provoca un relativismo derivado de la valoración de las culturas locales y regionales en las que los derechos pueden ser fundamentados. En palabras de U. Beck, esta lógica introduce una re-formulación del fundamento de la primera modernidad alrededor de cuestiones tales como ¿qué significa la tolerancia? ¿Qué implican los derechos humanos para las diferentes culturas? Y ¿quién garantiza los derechos humanos en el mundo posterior al Estado-nación? (Beck, 1999). Esto forma el trasfondo para un análisis sobre la relación entre las instituciones de la UE (como la ciudadanía) y la pluralidad nacional.

3. Contornos de la relación entre pluralidad nacional y ciudadanía de la UE

La ciudadanía es, ante todo, una palabra, un concepto con una connotación extremadamente rica: derechos, identidad, diferencia, inclusión, son parte de esta connotación. Desde el trabajo de Marshall y de una forma especial en las dos últimas décadas, se ha convertido también en el concepto central para la reflexión sobre la condición humana y sus problemas concomitantes. Pobreza, pertenencia, democracia, diseños institucionales, reglas, etc., son sólo una pequeña parte de la gran cantidad de temas que pueden ser abordados bajo este concepto. Un acuerdo sobre la pluralidad de connotaciones y aplicaciones del concepto abre el camino para la asunción de lo siguiente. La ciudadanía es un concepto que presenta el característico problema metodológico de la inconmensurabilidad; es decir, el de las aplicaciones *ad hoc* de la misma palabra pero con significados asimétricos en diferentes escenarios y discursos. Además, la validez de un concepto se agota cuando es usado con un sesgo polémico o programático. Así, el delimitar los requisitos teóricos y prácticos se convierte en una necesidad apremiante.

2.1. Requisitos teóricos

La construcción teórica de una noción de ciudadanía de la UE, que pudiera enmarcar adecuadamente el tratamiento de la pluralidad nacional, debería satisfacer las demandas de dos orígenes lógicos diferentes, el deductivo y el inductivo. La noción de ciudadanía de la UE debería ser compatible con una construcción teórica *deductiva*, que destaca importantes cuestiones normativas. En concreto, parece que el cosmopolitismo proporciona un marco teórico consistente, ya que es coherente con el modelo post-nacional diseñado por la ciudadanía de la UE.

A priori, parece que existe coherencia teórica entre el fundamento de la UE y los requisitos del nacionalismo minoritario. La ciudadanía de la UE ha sido diseñada como un estatuto cuyo referente es la nacionalidad de los Estados o, en otras palabras, el significado de la ciudadanía de la UE es el de liberar a los derechos de su estrecho vínculo con la nacionalidad estatal. Precisamente por esto, la ciudadanía puede ser considerada como una institución útil para responder a unas demandas que igualmente tratan de aflojar la conexión entre derechos y nacionalidad, en favor de la promoción de los derechos de las naciones no estatales. En principio, la coincidencia de su antagonismo hacia la privilegiada nacionalidad estatal parece que acerca los derechos de ciudadanía de la UE y los derechos a favor del reconocimiento de los derechos de los grupos sub-estatales.

¿Son compatibles estos dos procesos desde el punto de vista de los fundamentos normativos de cada uno? La generalización implícita de los derechos de los Estados-nación para cualquier nacional de un Estado Miembro que supone la ciudadanía de la UE deriva de una sólida justificación individualista de estos derechos. La historia de los derechos dentro de la UE (probablemente debido a su origen en el mercado) se refiere sistemáticamente a los individuos. Por consiguiente, la ciudadanía de la UE se convierte en una afirmación de los derechos de los individuos *vis-à-vis* a la atribución de derechos a una diferencia específica de grupo definida por la nacionalidad estatal.

Esto plantea un requisito normativo para encajar los derechos de las minorías: mantener el carácter básico de la ciudadanía de la UE. Su fundamento, el principio básico que está por detrás de su desarrollo, ha sido la prohibición de la discriminación. De esta manera, el requisito normativo es el de evitar las formas de discriminación *formuladas como derechos*. No obstante, esto no significa un rechazo normativo de estas demandas, sino más bien su re-direccionamiento hacia escenarios institucionales más apropiados.

3.2. DEMANDAS PRÁCTICAS

Además de estos requisitos normativos, las demandas prácticas (inductivas) requieren ser examinadas de cerca. En algunas ocasiones, nociones *teóricas inductivas* han contaminado la teorización sobre la ciudadanía de la UE. En otras palabras, la noción de ciudadanía de la UE se ha visto afectada por los intentos de traducir los elementos de las configuraciones nacionales de la ciudadanía. Así, por ejemplo, la idea del «patrimonio conceptual» (Shaw, 1997) recoge elementos para la reconstrucción del concepto de ciudadanía de la UE, a pesar de que su fuente son conceptos nacionales, y de esta forma, tienden a reconstruir el Estado-nación (y, de manera implícita, asociar la *polity* europea con un Estado). La desvinculación de la ciudadanía de la UE del modelo del Estado-nación es una necesidad apremiante, pues cada configuración nacional refleja un conjunto específico de *cleavages* y de procesos históricos. Además, el modelo de ciudadanía del Estado-nación hunde la noción dentro de los límites de la concepción tradicional del Estado. Por ejemplo, los partidarios de las demandas de las naciones minoritarias señalan algunos de estos límites: la marginación de la pluralidad en la regulación de la dimensión «ética» nacional, una concepción monista del *demos*, y la aplicación de criterios funcionales en la división territorial de poderes basada en la lógica de la subsidiaredad (Requejo, 1998).

La institución requerida es una que sea consistente con un marco teórico, pero también informada por sólidos requisitos prácticos. Los requisitos inductivos examinados aquí son los del pluralismo nacional. Por tanto, el objetivo es la identificación de la contribución de la ciudadanía de la UE a (la acomodación de) la pluralidad nacional en el seno de la UE y de algunos de sus Estados Miembros. Algunos autores perciben la ciudadanía de la UE como un instrumento que proporciona un mayor potencial para los ciudadanos de los diferentes *demos* de los Estados plurinacionales bajo dos condiciones. En primer lugar, hay una regulación de un número de derechos que garantizan el reconocimiento de la pluralidad nacional; y, en segundo lugar, asegura un nivel de autogobierno de los diferentes grupos nacionales proporcional a este reconocimiento (Requejo, 1998: 47). Por lo tanto, lo que se requiere es la coherencia de este desarrollo —es decir, el reconocimiento— con el fundamento teórico de la ciudadanía de la UE.

Huyendo de una definición esencialista de la nación o de la cultura, parece que la situación fáctica de las minorías actuales es el resultado de antiguos *cleavages* que han sobrevivido a los procesos históricos de integración desarrollados por los Estados-nación. Existen al menos tres grupos diferentes que pueden encajar en esta situación dentro del contexto de la UE. Existen, en primer lugar, las minorías nacionales en el seno de los actuales Estados Miembros cuyos sistemas constitucionales (por muy insatisfactoriamente que sea) se supone que son democráticos y respetuosos con los derechos de las minorías. En segundo lugar, los futuros Estados

Miembros de la Europa del Este; éstos contienen minorías nacionales a menudo vinculadas a Estados-nación vecinos. Su pasado totalitario anterior y su creciente nacionalismo han levantado algunos miedos al maltrato de estas minorías. Los Estados que han solicitado el ingreso han sido objeto de examen y debate sobre los estándares de garantía a sus respectivas minorías nacionales. De hecho, algunas disposiciones que persiguen la garantía de los derechos de las naciones minoritarias han sido desarrolladas con la mente puesta en estos Estados que han solicitado el ingreso. Finalmente, una tercera situación, que no es normalmente tratada bajo la misma etiqueta, es la posición de las minorías no territoriales, como los gitanos o los musulmanes. Mientras que las dos anteriores pueden encontrar acomodación a través de diseños institucionales territoriales, el tercer grupo parece desafiar esta opción.

Estas diferencias ponen un límite a las disposiciones universalistas de la UE o a las estructuras institucionales únicas. De acuerdo con el requisito teórico de consistencia, la ciudadanía de la UE puede ser la base para el reconocimiento y garantía de los derechos de las minorías nacionales. Los contornos precisos se esbozan en los párrafos siguientes. Previamente, se incluye una cautela: la ciudadanía de la UE no debería ser considerada con la «solución universal» para cualquier tipo de problema. Las disposiciones universales sobre derechos fundamentales y otras instituciones de la UE completan los instrumentos para la acomodación de la pluralidad nacional.

3.3. LOS CONTORNOS DE LAS POSIBLES DISPOSICIONES SOBRE LAS NACIONES MINORITARIAS

La ciudadanía de la UE ofrece algunas pocas posibilidades para enmarcar el reconocimiento de los derechos de las naciones no estatales. Éstas se encuentran en la forma de disposiciones garantistas (disposiciones que garantizan una libertad individual). Básicamente, este enfoque garantista es el del sistema de posguerra de protección de la minorías que se ha basado en una concepción universalista de los derechos humanos. Dentro de esta concepción, la noción de igualdad juega el rol de protección de las minorías garantizando unos derechos sin discriminaciones. Diversas convenciones y declaraciones internacionales adoptan esta perspectiva (Pacto Internacional de Derechos Civiles y Políticos [art. 27]; Acta Final de la Conferencia de Helsinki [principio VII]; Declaración sobre los derechos de las personas pertenecientes a minorías religiosas, étnicas, lingüísticas y nacionales, y la Carta Europea sobre lenguas minoritarias y regionales). Sólo la Carta de París de 1990 (redactada con un ojo puesto en las transiciones a la democracia de los países del Este) marca un movimiento hacia una concepción colectiva que está interesada, no sólo en la protección, sino también en la promoción, a través de discriminaciones positivas (Decaux, 1998).

Dentro de la UE, existen algunas disposiciones que representan una aproximación garantista similar, basadas en la igualdad de derechos de las personas y en la no discriminación. En esta línea se puede mencionar el Protocolo del Tratado de Amsterdam sobre las garantías para las religiones minoritarias. También, el Proyecto de Carta sobre Derechos Fundamentales de la UE (cuyas disposiciones son en muchos aspectos absolutamente insuficientes) recoge la protección de las minorías dentro de la garantía general de la igualdad y la no discriminación (arts. 20 y 21). Más claramente, el Tratado de Amsterdam incluyó una nueva disposición (art. 13 del Tratado de la Comunidad Europea) para combatir la discriminación por razón de origen racial y étnico, religión o creencia, entre otros criterios.

El contenido de estas disposiciones garantistas no debería avanzar más allá de la protección de los derechos y de los acuerdos institucionales para las naciones minoritarias ya reconocidos en el interior de los estados. Sólidos argumentos prácticos y teóricos apoyan esta posición. En primer lugar, la ya mencionada asimetría entre comunidades no estatales pone un límite práctico a las cláusulas generales. El tipo de derechos demandados por cada nación minoritaria es específico a cada contexto, resultado de los procesos históricos concretos de configuración de cada uno de los Estados Miembros y de su respectiva resolución (o falta de ella) de diversos *cleavages*. De esta forma, el reconocimiento y la garantía de los derechos de las minorías nacionales puede incluirse dentro de la ciudadanía de la UE, pero el tratamiento diferencial proporcional al reconocimiento debe ser el resultado de acuerdos internos.

En segundo lugar, existe un límite en la legitimidad de la UE para actuar en esta dirección. En otras palabras, la ciudadanía de la UE no podría crear un nuevo derecho que sobrepasara los existentes en los Estados Miembros concretos, pues la condición para la legitimidad de la ciudadanía de la UE ha sido el respeto a la propia configuración de la ciudadanía de los Estados-nación. Mientras que el valor de la ciudadanía nacional se da generalmente por supuesto, la afirmación de la ciudadanía de la UE choca contra la afirmación del valor de las comunidades nacional-estatales preexistentes. Las comunidades a las que me refiero son por supuesto las de los Estados y la influencia de esta tendencia en el diseño de la ciudadanía de la UE se puede detectar en las disposiciones garantistas adjuntas a esta última: el Protocolo sobre la nacionalidad anexo al Tratado de Maastricht y el artículo 17.1 del Tratado de Amsterdam. Este último elevó a nivel de orden el carácter implícito del estatuto: *la ciudadanía de la Unión complementará y no sustituirá a la ciudadanía nacional*. Por consiguiente, una condición para la legitimidad de la ciudadanía de la UE es que no puede ser usada explícitamente como un instrumento para erosionar la ciudadanía nacional. El proceso de creación de derecho dentro de la UE debe satisfacer actualmente ciertas condiciones de legitimidad. Y estas condiciones (por ejemplo, un acuerdo unánime para cambios constitucionales) puede ser contradictorio con las construcciones teóricas, cualquiera que sea su acierto. Más en concreto, si el tema del reconocimiento no fuera previamente resuelto en el nivel nacional, su constitucionalización a nivel de la UE (imposible a nivel práctico) crearía una fuente de legitimidad y legalidad que desautorizaría a los Estados Miembros, hasta ahora las legítimas partes contratantes. Esta desautorización (que puede ser percibida como legítima por algunos) tiene, sin embargo, implicaciones diferentes para las diferentes circunscripciones de los diversos Estados Miembros.

Esto no significa una reducción del valor de las disposiciones de la UE, aunque su significado requiere una delimitación de su validez o de sus efectos para los diferentes niveles de autoridad. Los destinatarios son los gobiernos centrales y las instituciones europeas. Para estas últimas, las provisiones garantistas pueden ser entendidas en el sentido de que la actividad de la Unión no debe implicar una discriminación para las minorías, una interpretación totalmente consistente con los requisitos descritos anteriormente. Podrían ser también entendidos como una orden para el comportamiento de la Unión en el momento de dirigir su vida cultural, política y económica. Algunas acciones y políticas, como la creación de la Oficina Europea para las Lenguas Minoritarias, van en esta dirección. Mientras sean construidas a partir del reconocimiento preexistente y no creen nuevos derechos, son perfectamente legítimas en el contexto de la UE. Otras disposiciones, como la extensión de la garantía de la ciudadanía de la UE al uso de la propia lengua (que se refiere actualmente a las comunicaciones con las instituciones de la UE) podrían ser extendidas para incluir una garantía del uso de las lenguas de las naciones minoritarias. Sin embargo, este avance podría chocar con dificultades prácticas (el crecimiento exponencial en el número de lenguas de trabajo de la UE).

En tercer lugar, las garantías tienen un valor indudable *vis-à-vis* en las instituciones centrales de los Estados Miembros y sus posibles tendencias no democráticas. Las perspectivas de acceso de un número de nuevas democracias con amplias minorías nacionales justificaba la elaboración de criterios políticos para la pertenencia, siendo uno de éstos el que el país candidato demuestre «respeto por, y protección de, las minorías». Más adelante, los Acuerdos de Acceso incluyeron objetivos concretos sobre protección de las minorías para varios Estados candidatos (Eslovaquia, República Checa, Letonia, Estonia, Hungría, Bulgaria y Rumanía). Los criterios de Copenhague no tuvieron fuerza legal vinculante, a pesar de que el Tratado de Amsterdam los transpuso todos como Derecho primario de la UE (menos el de protección de las minorías) (Toggenburg, 2000). La llamada cláusula del Este; es decir, la posibilidad de examinar la aplicación de los principios democráticos y de respeto de los derechos humanos por los Estados Miembros ejemplifica este giro. En esta segunda modalidad, las disposiciones para garantizar los derechos de las minorías nacionales deberían situarse más bien bajo el control del Tribunal Europeo de Justicia (TEJ), más que del Consejo.

En cualquier caso, estas disposiciones generales proporcionan un marco de referencia general, pero la satisfacción de las demandas de reconocimiento de las naciones minoritarias dentro de los Estados Miembros de la UE depende más bien de acuerdos institucionales específicos que confieran poder a estos grupos. La próxima sección discute algunas de las características de estos acuerdos asumiéndose que sólo pueden ser aplicados a naciones definidas territorialmente.

4. Acuerdos institucionales para las entidades sub-estatales en el seno de la UE

La contribución de la UE y del proceso de integración al reconocimiento de las demandas de las naciones minoritarias ha sido relativamente importante, aunque indirecta, y ha actuado en una doble dirección. Por un lado, la UE proporciona nuevas estructuras institucionales para las entidades sub-estatales y refuerza las preexistentes en el seno de los Estados Miembros. Por otro lado, y en paralelo, el proceso de integración (de forma similar a la globalización) refuerza la legitimidad de las demandas de autogobierno. Las próximas dos secciones repasan ambas dimensiones.

4.1. APERTURA INSTITUCIONAL DE LA ESTRUCTURA DE OPORTUNIDADES POLÍTICAS

La UE ha ampliado la estructura de oportunidades políticas mediante la provisión de un contexto institucional ampliado que, no obstante, ha tenido un doble efecto: el refuerzo institucional y la homogeneización de trato. El efecto de refuerzo se produjo, primeramente, a través de la política regional y de su inherente impulso hacia la asociación. A finales de los ochenta, la Comisión Europea (con el apoyo de las autoridades regionales) respaldó la administración conjunta de la UE, los Estados y las autoridades regionales en la dirección de los programas de política regional. Es discutible si la intención implícita era exclusivamente el aumento de la eficiencia de las políticas de la UE a través de la gestión conjunta, pero el efecto indudable ha sido que las políticas regionales de la UE han presionado hacia el desarrollo de autoridades regionales e, incluso, hacia la creación de este nivel en Estados como Portugal. Durante las pasadas dos décadas, la emergencia de la Europa de las Regiones se convirtió en un lugar de referencia, considerándose simultáneamente la dilución de los Estados-nación por el proceso de integración y su erosión interna a través de la emergencia de poderes sub-estatales. Evaluaciones más cautas, sin embargo, parecen estar de acuerdo en que la Europa de las regiones es un término cuya connotación excede la mera descripción de los patrones de relaciones y configuraciones institucionales generadas por la política regional de la UE. Sin duda, las regiones y las entidades sub-estatales han ganado protagonismo pero una reconfiguración del sistema político predominante hacia el nivel sub-estatal parece cuestionable. Los Estados Miembros siguen siendo la fuente de poder y los actores principales en la escena de la UE. Y esto significa que el protagonismo del gobierno central, al igual que el papel de las entidades sub-estatales, es mediado por los gobiernos estatales. Por consiguiente, la integración europea se dirige hacia un modelo de gobierno caracterizado por la interconexión de varios niveles administrativos, el llamado gobierno multinivel.

El reforzamiento de las entidades sub-estatales a través de la política regional no se ajusta perfectamente a las demandas de reconocimiento de las naciones minoritarias en el seno de los Estados Miembros. La principal tarea de la política regional de la UE ha sido (y sigue siendo) el desarrollo económico territorial. En consecuencia, la concepción de región para los propósitos de la política regional de la UE se basa en criterios económicos tanto como criterios políticos. Y por tanto, la presunción derivada de la política regional de la UE es la *simetría* entre las llamadas regiones. Esto significa que los recursos se igualan para cualquier entidad territorial que se defina a sí misma como región a los efectos de la política regional de la UE, sin consideración adicional de su estatuto constitucional y de sus características (p. ej., su carácter nacional). A los efectos de la política regional de la UE, las diferencias políticas, administrativas y financieras entre las regiones europeas se convierten en secundarias frente a los criterios económicos. La política regional de la UE refuerza a las regiones, pero las sitúa a todas en pie de igualdad.

El efecto ha sido que las construcciones institucionales para la participación regional han seguido la igualdad de trato como criterio organizativo (que es, básicamente, una expresión de la igualdad de trato a los Estados Miembros). Estas instituciones, y más concretamente el Comité de las Regiones, son la segunda fuente de apertura de la estructura de oportunidades políticas para las regiones. El Comité parece designado para ajustarse a las demandas de una mayor participación regional en el seno de la UE. Está compuesto de representantes de todos los Estados Miembros con independencia de su estructura territorial y de su pluralidad nacional. De esta manera reúne entidades de Estados uninacionales y centralizados (como Dinamarca), con federalismo uninacional (Alemania, Austria), Estados regionales o federaciones plurinacionales (España, Bélgica), etc. Los representantes de las autoridades locales añaden más heterogeneidad, con el efecto final de que la pertenencia al Comité puede representar la distribución real de poder en toda la Unión. Pero, desde luego, no expresa la distinta naturaleza de cada nivel en el interior de cada Estado Miembro. En consecuencia, se puede argumentar que el efecto de la institucionalización de la participación sub-estatal en el seno de la UE ha llevado a una lógica estandarizadora que asume la igualdad de trato para cualquier entidad que se atribuya un nivel sub-estatal (y tenga el reconocimiento como tal por parte de su respectivo Estado). Esto es así con independencia de su vinculación con una minoría nacional en un Estado Miembro plurinacional. Claramente este *statu quo* puede ser insatisfactorio para las demandas del nacionalismo minoritario (como, por ejemplo, el catalán, el vasco o el escocés), pues impone una homogeneización que disminuye su relevancia política y, lógicamente, no se sigue del reconocimiento de la diferencia nacional (aunque favorece las oportunidades políticas de las regiones más conscientes). De alguna forma, el efecto se asemeja al producido en el seno del Estado de las autonomías español: de un mecanismo inicial para acomodar las demandas de autogobierno de las tres naciones minoritarias, la lógica del sistema ha producido finalmente una homogeneización.

Obstáculos similares para una acomodación de la diversidad sub-estatal están relacionados con el papel del tan aclamado principio de subsidiariedad. Dentro de la UE, la subsidiariedad se ha construido deductivamente como un principio garantista o protector para los Estados Miembros *vis-à-vis* los esfuerzos centralizadores de Bruselas, y ha sido frecuentemente invocado como un garante de la diversidad «nacional». De esta forma, algunos actores de la UE lo interpretan como un principio que, entre otras cosas, protege las competencias nacionales frente a las tentaciones homogeneizadoras. Paralelamente, la subsidiariedad ha servido para la legitimación de las demandas de los niveles sub-estatales dentro de los Estados Miembros, especialmente en los Estados más centralizados. Mientras que este avance encaja aparentemente con las demandas de autogobierno, plantea también algunos retos. El principio contiene una justificación lógica poderosa a favor de cualquier entidad sub-estatal sobre la base de la proximidad al ciudadano. Puesto que la proximidad es una característica definitoria de los niveles inferiores de gobierno, la subsidiariedad los trata de forma igual a todos ellos. Pero, en los Estados plurinacionales, la justificación moral del autogobierno deriva de la diferencia cultural o nacional (y no de la proximidad). A su vez, basar las construcciones institucionales en el principio federal implica una lógica uniformizadora e implica una dilución táctica de la diferencia. De esta manera, el mismo principio que ha sido percibido en el discurso de la UE como una garantía para las diferencias nacionales y el reforzamiento de las regiones puede ser visto simultáneamente como una amenaza en el nivel nacional sub-estatal.

Los dos escenarios institucionales anteriores de la participación sub-estatal genera una paradoja. Por un lado, amplían verdaderamente la estructura de oportunidades políticas para todas las entidades sub-estatales. Por otro lado, sitúan a estas últimas en una posición igualitaria con independencia de su carácter nacional o de su origen puramente administrativo. Sin duda, las primeras están más interesadas en utilizar las «regiones»para aumentar su notabilidad.

La pertenencia a la UE también afecta a la configuración institucional de las entidades sub-estatales. La subsidiariedad parece haber tenido, como mínimo, un rol retórico en Estados Miembros como el Reino Unido pero, como se ha mencionado, su papel es mucho más reducido, si no contradictorio, en el caso de Estados multinacionales con una organización federal o autonómica constitucional. Y ésta podría ser precisamente la lección: el proceso de integración parece reforzar la organización territorial existente más que estimular cambios profundos (Goetz, 1995). Las constituciones, que son reafirmadas actualmente como la fuente de validez y legitimidad, son también la última fuente de la organización territorial de los Estados Miembros. Las autoridades centrales son muy reticentes a aceptar siquiera cambios implícitos en la organización territorial derivados del proceso de integración. En el caso español, el gobierno ha rechazado los intentos de adoptar el principio de subsidiariedad. Y los diversos gobiernos centrales también han sido particularmente reticentes a aceptar mecanismos que aumenten la participación de las Comunidades Autónomas en los asuntos de la UE.

4.2. LA AMPLIACIÓN DE RECURSOS IDEOLÓGICOS DEL NACIONALISMO MINORITARIO

La sección anterior ha descrito las estructuras institucionales de la UE para las entidades sub-estatales y los efectos prácticos que tienen en las naciones minoritarias. Estos efectos prácticos pueden o no generar re-estructuraciones institucionales más acordes con las demandas de las naciones minoritarias. Pero, en cualquier caso, refuerzan los recursos normativos e ideológicos. Específicamente, el proceso de integración europea y las estructuras institucionales de la UE refuerzan y amplían los argumentos a disposición del nacionalismo minoritario (aunque sea añadiendo argumentos de carácter práctico). Esto significa un reforzamiento de sus demandas de autogobierno, paralelamente a la reducción del objetivo máximo (la condición de Estado soberano).

Antes que nada, la integración europea proporciona una *confirmación* práctica para algunas de las afirmaciones normativas presentadas por el nacionalismo no estatal. La integración europea erosiona la percepción clásica de los Estados soberanos nacidos del sistema de Westfalia. En concreto, cuestiona *en la práctica* atributos de la condición de Estado soberano como la impenetrabilidad o la unicidad. (El carácter práctico de este efecto debe ser subrayado puesto que los intentos más doctrinales o teóricos de actores institucionales, como el TEJ o el Parlamento Europeo [PE], de fijar una fundamentación del proceso de integración de la UE más allá de los Estados Miembros ha sido firmemente rechazada.) Lógicamente, la UE y el proceso de integración cuestionan también estos atributos cuando se aplican al referente subjetivo clásico de la soberanía, la «nación». Así, por ejemplo, el estatuto tradicionalmente asociado con la nacionalidad (en el sentido estatal) cede progresivamente el paso a la ciudadanía de la UE.

Los nacionalismos minoritarios dentro de los Estados apuntan a definiciones de la nación similares a las del Estado. Intentan hacer compatible la condición estatal tradicional con el plurinacionalismo y con una organización territorial específica que garantice el autogobierno de las naciones minoritarias. La nueva forma emergente de dominación política llamada gobierno multinivel permite la acomodación institucional del reconocimiento de la diferencia. El nacionalismo minoritario encuentra bases sólidas en varias medidas de administración territorial adoptadas por los Estados para preservar su propia integridad. Estas medidas comprenden instituciones descentralizadas, representación especial para las regiones, así como decisiones económicas y fiscales concretas. Esta «nueva política territorial» sirve adecuadamente a la reinvención del territorio por parte del «nuevo nacionalismo» (Keating, 1996).

Las instituciones y los políticos de la UE han sido particularmente receptivos hacia las demandas regionales, pues éstas contribuyen a aumentar la autonomía de la UE (y la suya propia) frente al monopolio del poder político ejercido por los gobiernos centrales. La participación de las regiones también expresa uno de los objetivos subyacentes al proceso de integración: la difusión del poder estatal. En el caso español, ya se ha dicho que las colectividades catalana y vasca apoyan el fortalecimiento de las instituciones europeas en la medida en que erosiona los poderes del Estado-nación y que ofrece muchas oportunidades para una creciente cooperación con otras regiones europeas. Su cálculo es que, a largo plazo, el proceso de unión política y económica conducirá a la reforma del espacio europeo sobre la base de algunas macro-regiones coherentes y competitivas (Morata, 1996: 153). Pero la forma final o el resultado de la reconfiguración institucional en el seno de la UE no debería ocultar el alto valor retórico e ideológico de la demanda en sí misma: las declaraciones sobre la emergencia de una «Europa de las Regiones» deben ser cautas, ya que representan no tanto una descripción de los hechos sino una idea dogmática de justificar el incremento de los poderes de las entidades sub-nacionales (Borras *et al.*, 1994: 1).

Un segundo recurso ideológico, de carácter derivado, es la *legitimación* que la UE proporciona para la reafirmación de las demandas del nacionalismo minoritario sobre la configuración de las instituciones de autogobierno. Algunas de las estructuras y principios regionales inducidos por la UE, como la subsidiariedad, han sido ya comentados. Este último, construido inicialmente como un mecanismo protector de los Estados, ha contribuido al desarrollo de una cierta presunción de bondad en favor de las regiones. La implicación de las regiones se considera deseable, enriquecedora e incluso como un mecanismo para mejorar la eficiencia de las políticas públicas. También es descrita como una mayor cercanía a la ciudadanía. Y, en este sentido, la participación regional generalmente se enmarca en el objetivo de «aumentar la democracia». Sorprendentemente, la presunción de bondad en favor de las entidades sub-estatales, obvia el hecho de que esta estructura de oportunidades ampliadas de participación favorece básicamente a los ejecutivos regionales, más que a sus instituciones representativas.

Sin lugar a dudas, el efecto más profundo de la pertenencia a la UE y del proceso de integración en las construcciones ideológicas del nacionalismo minoritario es la creación de un nuevo marco político para la definición de objetivos últimos. Tradicionalmente, el nacionalismo ha defendido un objetivo final, la independencia nacional y la autodeterminación, cuya concreción es el Estado soberano. La UE provoca una redefinición de este paisaje. Por un lado, la dilución de los atributos clásicos de la condición estatal que implica la pertenencia a la UE disminuye la percepción coercitiva simbólica (o real) de los Estados en las naciones minoritarias, y esto puede que haga menos convincentes las demandas máximas de independencia. Por otro lado, en su actual etapa de desarrollo, los procesos de la UE provocan un cierto grado de realismo sobre las expectativas de un estatuto independiente dentro de la UE. Aunque la presencia simbólica de un nuevo Estado-nación sería probablemente mejor, la influencia real y el beneficio derivado de la pertenencia a la UE serán probablemente mayores dentro del acuerdo conjunto que un Estado Miembro puede hacer. Los movimientos nacionalistas perciben claramente esta falta de receptividad que coincide con la actitud favorable hacia las regiones anteriormente citada. Esto tiene un efecto sutil en el discurso y la retórica nacionalista. Mientras que la UE abre la estructura de las oportunidades políticas, también conduce hacia un declive del objetivo nacionalista máximo de crear Estados independientes (Marks y Llamazares, 1995). De hecho, el nacionalismo minoritario dentro de los Estados Miembros se ha referido frecuentemente al objetivo de construcción de una Europa de la diversidad (Jáuregui, 1997).

5. Instituciones e identidad: las dificultades de encajar identidades territoriales multinivel

La sección anterior se ha centrado en las oportunidades institucionales de la participación de las naciones minoritarias en la vida política de la UE. Pero no debería ignorarse que las instituciones, además de su diseño positivo, son un mecanismo significativo para las construcciones simbólicas de los individuos sobre sus propias identidades. Tal como Kymlicka y Norman resumen después de una investigación comprehensiva (Kymlicka y Norman, 1994), el ciudadano es un concepto destilado de dos componentes claves: derechos e identidad. La percepción estándar de la relación entre ellos asume que la institución de la ciudadanía parte de una identidad preexistente, como algo derivativo de una historia consolidada y de un carácter «nacional». Pero puede también sostenerse que tanto la práctica de las libertades y de los derechos, como las políticas implementadas producen efectos sobre las percepciones que tienen los individuos de sí mismos y de sus conciudadanos. Así, la identidad tiene también una dimensión constructivista, en tanto que producto del funcionamiento de las instituciones.

Los analistas aplican la misma secuencia teórica a la ciudadanía de la UE. A falta de una entidad que pueda ser considerada como la identidad de la UE, los puntos de partida seguros son las identidades nacionales. Éstas han precedido en el tiempo a la creación de la ciudadanía de la UE y, por tanto, la asunción es que son ellas las que modelan y condicionan cualquier identidad asociada a la ciudadanía y a las políticas e instituciones de la UE. Desde este punto de vista, el tema que está en juego es el de cómo diferentes identidades encajan en la nueva institución de ciudadanía europea, y también (teniendo en cuenta la dimensión constructivista mencionada), cómo la nueva institución puede modelar a los individuos y a su identidad. Más generalmente, el argumento se centra en cómo la disponibilidad de instituciones amplía y enriquece la identidad de los individuos.

Partiendo de las identidades nacionales preexistentes, el significado de la ciudadanía de la UE difiere según las percepciones de los diferentes grupos nacionales. Así, por un lado, han existido reacciones protectoras frente a lo que se percibía como una amenaza para las identidades nacionales. Esta percepción fue evidente, por ejemplo, en la reacción danesa durante la ratificación del Tratado de Maastricht. Según la Declaración negociada por el gobierno danés, los daneses temían que se eliminase su ciudadanía nacional. La precedencia empírica de las identidades nacionales proporciona una base para las preferencias normativas: las identidades nacionales se dan por supuestas y como algo bueno, e idealmente, la ciudadanía europea no debe afectarlas.

Por otro lado, la ciudadanía de la UE proporciona una identificación complementaria para aquellos a quienes la nacionalidad estatal no ofrece un significado pleno. Teóricamente, se podría asumir que la ciudadanía de la UE hace más tolerable una única estatalidad en los contextos de pluralidad nacional. De nuevo, esta asunción obvia la heterogeneidad de situaciones y los puntos de vista divergentes sobre las instituciones. En España, por ejemplo, los votantes de algunos partidos de las naciones minoritarias perciben a la ciudadanía de la UE como un instrumento útil para sustituir o eliminar la ciudadanía estatal. Es un recurso añadido contra el Estado. Otros la perciben como un complemento moderador a la ciudadanía estatal que suaviza la (hipotética) presión puesta por el Estado sobre la identidad plural.

Es esta segunda visión, más moderada y tolerante, la asumida como referente y modelo por los analistas con el fin de construir modelos teóricos que permitan encajar lealtades diversas; un modelo de identidad que pueda integrar fuentes diversas y complejas (identidades de muñecas rusas, identidades multinivel). Uno de estos modelos es el de ciudadanía de capas, que se basa en el hecho de la pluralidad de autorreferentes. Así, por ejemplo, Bader esgrime que todos vivimos con identidades, lealtades y compromisos múltiples, dinámicos y cambiantes (Bader, 1999). El modelo es construido a partir de diferentes fuentes de lealtad que tienen un origen diferente: por ejemplo, identidades funcionales (derivadas del desempeño de los individuos en la vida diaria) o identidades territoriales. Desde el punto de vista que aquí interesa, la diferente naturaleza de estas identidades facilita su compatibilidad. En concreto, las identidades funcionales parecen encajar fácilmente con las identidades primarias. Por ejemplo, la identidad como consumidor parece altamente compatible con una identidad nacional, al igual que lo es la de trabajador, y así sucesivamente. Se podría argumentar que éstas son identidades débiles y que es precisamente esto lo que las hace tan manejables. Pero aun así, parece que en ausencia de un fuerte proceso de racionalización a favor de las identidades funcionales, las identidades nacionales tienden a prevalecer en caso de conflicto con las funcionales. Ello se muestra en el carácter persuasivo de las campañas «compre español» (o francés o británico) entre los consumidores.

Aplicando el modelo a la ciudadanía de la UE, las fuentes para la construcción de la identidad se amplían sustancialmente. Las funcionales, como la de los euro-consumidores o la de los euro-trabajadores, se añaden a las más tradicionales. La que interesa más aquí es la vinculada a los diferentes niveles de autoridad política, ya que está relacionada con el tema de la pluralidad nacional en un mismo Estado. Ésta ha sido llamada normalmente *identidad multinivel* y *ciudadanía multinivel*. Una noción que busca la acomodación entre diversas capas territoriales. (E. Meehan, 1993) fue un pionero en su utilización referida a la UE.) De esta manera, la identidad y la ciudadanía multinivel (aparte de las dimensiones funcionales) es vista primeramente como una acomodación de las identidades asociadas a los contextos institucionales sub-estatal, estatal y supra-estatal.

Este nuevo contexto provoca una mayor complejidad en las fuentes de formación de la identidad, pero ello no implica simultáneamente una mayor capacidad de los individuos para afrontar dicha complejidad. Al contrario, la visión de una acomodación armónica entre niveles de identidad parece ser una ilusión. De hecho, existen grandes dificultades para acomodar distintas identidades territoriales. Estas dificultades proceden del rol de las instituciones: según M. Douglas, las instituciones actúan como constructoras de realidad (Douglas, 1986). Proporcionan, además, un referente externo para el anclaje de las identidades. Así pues, el comportamiento institucional moviliza y conforma niveles concretos de las identidades individuales. Y, obviamente, el tipo de política perseguida por las instituciones condiciona las identidades.

Probablemente, la mayoría de teóricos piensan implícitamente en las políticas de colaboración como el referente para construir las identidades multinivel. En respuesta a esta visión, los sondeos de opinión en Estados plurinacionales como España ofrecen un número significativo de respuestas de personas que se conciben a sí mismas desde identidades regional-nacionales, estatales y europeas; es decir, personas que pueden percibir referentes de identidad a diversos niveles institucionales. Pero es igualmente lógico que si la política es de confrontación, esto inevitablemente proyecta una confrontación similar entre los niveles de identidad. Las instituciones pueden competir por la lealtad de los individuos y esto no se resuelve necesariamente en una identidad estable y armónica en la que se racionaliza el conflicto político. La afirmación de un nivel institucional sobre los restantes significa probablemente una construcción paulatina de la identidad en la que esa capa se convierte también en la principal fuente de identidad. Finalmente, la confrontación institucional entre niveles puede activar, paradójicamente, las dimensiones identitarias viscerales que re-afirman la primacía de un nivel primordial.

Dentro de la UE, existen al menos tres niveles territoriales a tener en cuenta, todos ellos con la capacidad potencial para proporcionar referentes para la construcción de la identidad. Así, incluso la modesta capacidad de la UE puede afectar a las percepciones de los individuos y, a partir de éstas, a las identidades individuales (Closa, en prensa). Lo que interesa más aquí no es la consideración de los niveles aisladamente, sino su interacción. En mor a la brevedad, la consideración solamente de los dos actores principales (es decir, los gobiernos centrales y las autoridades de la UE) transmite una descripción de los efectos sobre las identidades que puede ser extrapolado al tercer nivel. Las relaciones entre estos dos niveles de gobierno han seguido tanto líneas de confrontación como de colaboración, siendo el significado que se deriva para los individuos muy diferente en cada caso. Las lógicas institucionales de colaboración (careciendo la UE del tipo de vínculo emocional característico de las naciones) probablemente promueven la racionalización de las dimensiones más exclusivistas de la identidad, las cuales son puestas en duda y cuestionadas por estas dinámicas de colaboración. Pero, por otro lado, las lógicas de confrontación institucional provocan una restauración de las identidades nacionales que encuentran confirmación en algunos de sus dogmas básicos (como que el vecino es el enemigo, etc.). Las estrategias de los gobiernos centrales en el seno de la UE tienden a esta posición de confrontación; los gobiernos centrales las usan para evadir las críticas, y las instituciones estatales caen ocasionalmente en contradicciones performativas: los discursos europeístas retóricos son contradichos por un comportamiento diario basado en el propio interés.

El trasfondo para la formación de la identidad se complica si se introduce un tercer nivel, ya que entonces las instituciones pueden estar tentadas de construir alianzas las unas en contra de las otras en su competición por la lealtad de los ciudadanos. Entonces, los ciudadanos de la UE se hallan frente a constelaciones institucionales en movimiento, como referentes para sus identidades. La manera y fundamento para encajarlas difiere sustancialmente. Lo más probable es que el modelo de las muñecas rusas (en el sentido de que una identidad es encapsulada en otra mayor) es una imagen con sentido para algunas regiones e identidades sub-estatales. En este modelo, los conflictos son resueltos a partir del predominio de los niveles más bajos. Pero esto neutraliza, en alguna medida, la posibilidad de que la ciudadanía de la UE se convierta en la base de una identidad postnacional. Refiriéndose sólo a la configuración institucional (y dejando de lado por tanto las dimensiones identitarias), Bader (defendiendo una ciudadanía europea más fuerte) argumenta que la ciudadanía multinivel no implica ninguna relación jerárquica entre la ciudadanía nacional y la europea: la pertenencia a una *polity* de menor nivel territorial no es visto como precondición para la pertenencia a *polities* de nivel superior. Es decir, uno podría ser un ciudadano legal de la Unión sin serlo de uno de los Estados Miembros (lo que actualmente no es una descripción fáctica sino un pensamiento normativo ilusorio). En sus palabras, esto parece una anomalía extraña (Bader, 1999: 171). Lógicamente, la afirmación de la supremacía de un determinado nivel institucional también significa su predominio como referente primario para la formación de la identidad. Éste es, básicamente, el tipo de situación de la relación actual entre la ciudadanía de la UE y la nacionalidad de los Estados Miembros (Closa, 1995).

En resumen, los modelos de ciudadanía multinivel o de capas obvian la inestabilidad permanente y el posible conflicto entre niveles, así como su traducción en la formación de identidades. Este punto de vista pesimista no debería, sin embargo, ser engañoso; más bien subraya la constante necesidad de procesos de racionalización cuando diversos niveles coinciden como referentes para la formación de identidades.

6.   A modo de conclusión

La integración europea produce una redefinición de la forma básica de dominación política —el estado-nación— alrededor de la cual se han construido instituciones como la de ciudadanía. Simultáneamente, la UE actúa como un *refuerzo* de facto de nuevos escenarios institucionales para los individuos (ciudadanía de la UE) y para las naciones minoritarias en el seno de los Estados Miembros. Al mismo tiempo, la globalización refuerza la fuerza normativa de las demandas de estructuras institucionales alternativas a las proporcionadas por los Estado-nación. Sin embargo, las expectativas sobre la capacidad de la UE para actuar como un *deus ex machina* y para atender a las necesidades de reconocimiento de las naciones minoritarias dentro de los Estados Miembros no deberían ser exageradas. Como en otros aspectos, el principal valor de la UE es el de limitar el comportamiento autodefinido de unos Estados que, ocasionalmente, pueden actuar en contra de los legítimos derechos de las minorías nacionales.

Referencias

Bader, V. M. (1999): «Citizenship of the European Unión. Human rights, rights of citizens and of Member States», *Ratio Juris*, 12:2, pp. 153-181.

Bauböck, R. (1997): *Citizenship and national identities in the European Union*, Harvard Jean Monnet Working Papers, n.º 4.

Beck, U. (1999): *What is globalisation?*, Londres, Polity Press.

Borras-Alomar, S.; Christiansen, T. y Rodríguez-Pose, A. (1994): «Towards a "Europe of the Regions"? Visions and reality from a critical perspective», *Regional Politics and Policy*, 4:2, pp. 1-27.

Closa, C. (1995): «Citizenship of the Union and nationality of Member States», *Common Market Law Journal* 32, pp. 487-518.

— (1997): «Supranational citizenship and democracy: normative and empirical dimensions», en M. La Torre (ed.) *European citizenship: an institutional challenge*, The Hague, Martinus Nijhoff, pp. 415-433.

— (en prensa): «Between EU constitution and "individuals" self: European citizenship», *Law and Philosophy*.

Decaux, E. (1998): «Les nouveaux cadres du droit des minorités nationales en Europe», en R. Kastoryano *Quelle identité pour l'Europe? Le multiculturalisme à l'épreuve*, París, Presses de Sciences Po, pp. 125-141.

Douglas, M. (1986): *How institutions think*, Syracuse Univesity Press.

Ferrajoli, L. (1993): «Cittadinanza e diritti fondamentali», *Teoría Política*, 9:3, pp. 63-76.

— (1999): *Derechos y garantías. La ley del más débil*, Madrid, Trotta.

Goetz, K. H. (1995): «National governance and European integration: intergovernmental relations in Germany», *Journal of Common Market Studies* 33:1, pp. 91-115.

Jáuregui, G. (1995): *Los nacionalismos minoritarios y la Unión Europea*, Barcelona; Ariel, 1997.

Keating, M. (1996): *Nations against the state*, Londres, Macmillam.

Kymlicka, W. y Norman, W. (1994): «The return of the citizen: a survey of recent work on citizenship theory», *Ethics* 104:2, pp. 352-381.

Lyons, C. (1996): «Citizenship in the Constitution of the European Union: rhetoric or reality?», en R. Bellamy y D. Castiglione (eds.) *Constitutionalism, democracy and sovereignty*, Aldershot: Avebury, pp. 96-110.

Marks, G. y Llamazares, I. (1995): «La transformación de la movilización regional en la Unión Europea», *Revista de Estudios Políticos*, 22:1, pp. 149-170.

Meehan, E. (1993): *Citizenship and the European Community*, Londres, Sage.

Morata, F. (1996): «Spain», en R. Rometsch y W. Wessels *The European Union and its Member States*, Manchester, MUP.

Requejo, F. (1998): «European citizenship in plurinational states-Some limits to traditional democratic theories: *Rawls* and *Habermas*», en U.K. Preuss y F. Requejo (eds.): *European citizenship, multiculturalism and the state*, Baden-Baden, Nomos.

Shaw, J. (1997): «European Union Citizenship: the IGC and beyond», *European Public Law* 3:3, pp. 413-439.

Soysal, Y. (1994): *Limits of citizenship. Migrants and postnational membership in Europe*, Chicago, Chicago University Press.

— (1996): «Changing boundaries of civic participation: Organized Islam in European public spheres», Manuscript EUI, Florence.

Toggenburg, G. (2000): «A rough orientation through a delicate relationship: the European Union's endeavours for (its) minorities», *European Integration online Papers*, 4:16 http://eiop.or.at.

CAPÍTULO 6

LOS LÍMITES DE UNA EUROPA MULTINACIONAL: DEMOCRACIA E INMIGRACIÓN EN LA UNIÓN EUROPEA*

RICARD ZAPATA-BARRERO

1. Introducción

Los debates actuales sobre la ciudadanía europea se basan en dos premisas, una primera correspondiente a la lógica de la Unión Europea (UE) y una segunda correspondiente a la lógica de Estado. En esta *primera sección* presentamos el contenido del capítulo. Por un lado, la ciudadanía europea representa un bien; por otro lado, representa una carga. Según la lógica de la UE, la ciudadanía europea es un bien, puesto que proporciona libertad de circulación y seguridad para los nacionales de los Estados Miembros (EEMM). Según la lógica de los Estados, por el contrario, la ciudadanía europea es vista como una carga, puesto que supone una pérdida de su soberanía, y de las bases tradicionales de su legitimación política. Existe, no obstante, una tercera perspectiva, la de los inmigrantes residentes en cada uno de los EEMM. Para ellos, la ciudadanía europea se percibe simplemente como algo que se está discutiendo a sus espaldas y en lo que no tienen posibilidad de influencia.

En este capítulo intentaré romper la interdependencia de las dos primeras lógicas con ayuda de argumentos procedentes de la tercera perspectiva. Plantearé la pregunta de si es todavía defendible, desde un punto de vista multinacional, que la UE siga legitimando sus políticas de admisión y distribución de derechos, manteniendo una lógica estatal y su principio de discriminación hacia los inmigrantes sobre la base de la naciona-

* Traducción de la versión inglesa revisada por A. Giménez.

Se han presentado versiones anteriores de partes de este capítulo en diversos grupos de trabajo: Centro de Teoría Política (Madrid, UAM, marzo 1997); *XVII IPSA World Congress* (Korea, Seoul, agosto, 1997); *Colloquium on Philosophy and the Social Sciences, Institute of Philosophy*, Czech Academy of Sciences (Prague, mayo, 1998); *IPSA Research Committee on Political Philosophy* (Rotterdam, June, 1998), y el *27th European Consortium for Political Research* (Mannheim, marzo, 1999). Agradezco los comentarios de todos los participantes. Particularmente las conversaciones y críticas de W. Norman, F. Requejo e I. M. Young.

lidad. Desde una perspectiva normativa, el argumento que exploraré es si es más democrática una política europea de inmigración que no use la nacionalidad de los inmigrantes como criterio de orientación. Desde una perspectiva institucional, defenderé la substitución de la nacionalidad por la residencia como base para adquirir la ciudadanía europea. En la práctica, estos argumentos significan que la UE debería cambiar sus políticas actuales hacia los inmigrantes, repensar las bases de la legitimidad política de la democracia en contextos multinacionales, y descartar su actual lógica estatal.

Al emprender esta línea de razonamiento, uno debe abordar directamente el vínculo entre democracia y nacionalidad. Desde esta óptica, examinaré si puede prescindirse de la nacionalidad de los inmigrantes, todavía usada por los Estados como criterio en los procedimientos de admisión y de acomodación. La ventaja analítica de este enfoque es que permite un tratamiento separado de una política de inmigración y de la nacionalidad estatal, dos temas que tienden a confundirse. Es evidente que existen muchas más cuestiones que deberían considerarse. Incluso a nivel estatal, las tensiones que resultan cuando se compara la democracia y la inmigración están lejos de ser simples (W. F. Schwartz, 1995). Lo que aquí defenderé es sólo un aspecto de esta complejidad, como base para seguir explorando esta línea de trabajo.

La *segunda sección* tiene dos partes interconectadas. En la primera parte, repasaré los argumentos de Walzer, uno de los primeros en introducir el lenguaje de la democracia al abordar el fenómeno de la inmigración. En la segunda parte, seguiré la sugerencia de Walzer de construir una teoría de la democracia tomando a la inmigración como premisa, y utilizaré esto para introducir algunas cuestiones procedentes del debate que se produce actualmente en el nivel estatal. En la *tercera sección*, sugeriré lo que considero que son los requisitos básicos innegociables para construir un marco de referencia evaluativo. Mi principal argumento en este punto será que los principios básicos democráticos pueden resumirse en términos de no-discriminación hacia los inmigrantes, atendiendo a sus orígenes nacionales. En esta fase de mi razonamiento, argumentaré que este principio juega un papel distinto cuando se aplica al nivel de acceso y al de coexistencia. En la *cuarta sección*, examinaré brevemente el impacto práctico de estos requisitos examinando tres modelos normativos: el modelo asimilacionista, el modelo integracionista, y el modelo autónomo. Estos tres modelos expresan diferentes versiones de la legitimidad política en la esfera pública de las democracias multiculturales. En la *quinta y última sección*, defenderé la necesidad de abandonar el criterio de la nacionalidad de los inmigrantes cuando aplicamos estas ideas en el seno de la UE a nivel institucional. Después de un breve recorrido histórico institucional, justificaré la conveniencia de introducir la categoría de *Euro-inmigrante*, pero sin el implícito de la nacionalidad. Ello me permitirá destacar las disfunciones institucionales que dificultan poder hablar de una potencial Europa multinacional. Este último argumento podría servir como uno de los prerrequisitos para una futura Europa multinacional, cuya política de inmigración se haya desvinculado de la lógica tradicional estatal. Esto nos ayudará a situar el proceso político de la UE dentro de un contexto multinacional, que aparezca como un lugar más realista que el actual y que al mismo tiempo tiene una mayor base legitimadora desde el punto de vista democrático.

2. El lenguaje de la democracia aplicado a la inmigración: algunos temas del debate actual

M. Walzer ha sido uno de los primeros teóricos que ha detectado problemas en el aparato conceptual del liberalismo en el momento de incorporar la inmigración a una teoría de la democracia. Nos presenta la necesidad de reexaminar algunos aspectos de la teoría liberal con el fin de reorientar su práctica estatal. Avanzando algunos argumentos defendidos hoy en día por W. Kymlicka (1989, 1995), el principal problema práctico de la teoría liberal es que ha supuesto una homogeneidad cultural de las comunidades políticas sobre las que teorizaba.[1] Este implícito liberal nos invita a reflexionar en torno a la relación entre la nacionalidad estatal (ciudadanía) y la política, e incide en la necesidad de discutir las posibilidades de separar estos dos ámbitos, tal como ocurrió en el pasado con la esfera de la religión.

Históricamente, o bien la nacionalidad estatal ha seguido consideraciones políticas, o bien la política ha determinado la nacionalidad. Un contexto de pluralismo cultural (como resultado de la inmigración) requiere precisamente que se pierda esta dependencia mutua. En otras palabras, lo que se requiere es que la adquisición de la ciudadanía, entendida como proceso político unificador de la diversidad, no implique necesariamente una asimilación cultural (Walzer, 1982; 12). Esta línea de razonamiento expresa, pues, un rechazo explícito de cualquier etnicización de la política y del consecuente racismo institucional (A. Dummet y A. Nicol, 1990; J. G. Kellas, 1991; M. Wieviorka, 1997, 1998).

Walzer propone varias formas por las que las instituciones pueden reconocer la base multicultural de sus sociedades. Desde la defensa estatal de derechos colectivos, pasando por una política del reconocimiento de las identidades culturales no nacional-estatales, hasta la inclusión presupuestaria para la educación bilingüe y bicultural, la distribución de servicios de bienestar orientada por criterios de grupo, y la representación política de grupos étnica y culturalmente diferentes (1982; 19-21). El Estado,

---

1. En un trabajo más reciente Walzer destaca que la homogeneidad cultural nunca ha existido. Cuando hablamos en estos términos queremos decir que «a single dominant group organises the common life in a way that reflects its own history and culture and, if things go as intended, carries the history forward and sustains the culture. [...] Among histories and cultures, the nation-State is not neutral; its political apparatus is an engine for national reproduction» (Walzer, 1997; 25). En última instancia, esto manifiesta los esfuerzos del grupo cultural dominante de perpetuar su propia supervivencia y legislar de acuerdo con ello.

para gestionar el pluralismo cultural, puede optar entre dos estrategias: la autonómica o la integracionista (no confundir con integrista). Según la primera, el Estado apoya la organización corporativa de los grupos culturalmente diferentes, institucionalizando la diferencia cultural. Según la segunda, el Estado reduciría en parte las diferencias culturales imponiendo unos criterios finales comunes. En este caso, su función represiva permanecería, convirtiendo la identidad cultural de los diferentes grupos en una simple clasificación administrativa regulada por el principio de lealtad a las instituciones estatales (1982; 24, 27).

Estos argumentos muestran la necesidad de reconsiderar la diferencia cultural como un bien colectivo autónomo que debe ser incorporado a la lista de los bienes primarios liberales. Se pone de manifiesto cómo los problemas prácticos del pluralismo cultural desafían la teoría liberal, invitándola a reconsiderar seriamente sus estructuras institucionales tradicionales. Éste es uno de los esfuerzos que Walzer destina en uno de los primeros capítulos de *Spheres of Justice* (1983, *SJ*) . El argumento original puede formularse como sigue: cuando pensamos en la democracia, tenemos como referencia a Estados independientes capaces de gestionar sus propias pautas de división e intercambio. Asumimos la existencia de un grupo establecido y una población permanente, y por lo tanto, obviamos el primer y más importante tema: ¿cómo está constituido dicho grupo? (*SJ*, 31). Hoy en día, una de las cuestiones que plantea el pluralismo cultural a la teoría liberal es si es legítimo que los Estados hagan funcionar sus economías con personas excluidas de la ciudadanía (*SJ*, 55). Es decir, si los Estados pueden continuar excluyendo de la esfera de las decisiones a personas por el simple hecho de su nacionalidad (*SJ*, 54). La naturaleza convencional del acceso al territorio muestra que es un bien primario regulado, como todo bien distribuido por el Estado, a través de determinados criterios. Para Walzer, y aquí reside la fuerza de su argumento, *los criterios de acceso que la tradición liberal utiliza para legitimar su práctica están lejos de ser incuestionables*. Repasemos sus principales argumentos al respecto.

En todas las democracias liberales el proceso de admisión es doble: en un primer momento se admite la inmigración, en un segundo momento se produce la naturalización (*SJ*, 42-51). En el primer proceso, existen dos tipos de criterios de admisión, unos internos y otros externos a la misma esfera de distribución. En ambos casos, las condiciones de admisión reflejan el carácter de la comunidad política receptora. De ahí que una de las primeras condiciones implícitas esté regulada por el *principio de reconocimiento de la afinidad nacional* (*recognition of national affinity*). Uno de los problemas que suscita este principio es su unidireccionalidad, puesto que sólo se aplica a aquellas personas no nacionales. En la teoría liberal existe, pues, una asimetría entre inmigración y emigración. Otro problema derivado del criterio interno es el caso de que muchos habitantes de un país determinado no serán admitidos por el simple hecho de su nacionalidad. Esto sugiere que los Estados tienen un derecho colectivo sobre la jurisdicción territorial, en contraste con los derechos individuales.

Frente al principio de reconocimiento de la afinidad nacional, el criterio territorial plantea otra serie de problemas. En contraste con el anterior, es considerado como un bien social (*SJ*, 44-45). Esto implica que es concebido como una medida para proteger un «espacio vital». Ahora bien, ¿puede una comunidad política justificarse en base a la negación del acceso de los más necesitados por el simple hecho de que son «extranjeros»? La práctica del liberalismo nos muestra que el *principio de la ayuda mutua* ha sido interpretado desde un punto de vista utilitarista, y no desde el punto de vista ético, tal como sostienen algunos teóricos liberales.[2]

Se siguen planteando, además, otros criterios, externos esta vez, como los espaciales. Se da por supuesto que es lógico que se limite la inmigración, en tanto que ésta puede interferir con los esfuerzos del gobierno para mantener un alto nivel de vida para sus ciudadanos, especialmente las clases autóctonas más desposeídas (*SJ*, 48). Tal como Walzer indica, éstos son, en última instancia, versiones primitivas y parroquiales del principio liberal de la diferencia. En resumen, para Walzer el principio democrático debe ser el siguiente: que el proceso de autodeterminación soberana en el cual un Estado configura su vida interna debe estar *igualmente abierto* para todos los que viven en el país, trabajan en la economía, y están sujetos a la jurisdicción local. Cuando las segundas admisiones están cerradas, la economía política produce un mundo enfrentado entre los miembros y los no-miembros, donde los segundos están sujetos a las decisiones de los primeros. Ningún Estado democrático puede tolerar el establecimiento de un *estatus* permanente que diferencie entre ciudadanos e inmigrantes. Una política democrática debe, en última instancia, elegir. Si opta por admitir a personas dentro de su territorio, debe tratarlas con igualdad, sin discriminarlas según sus nacionalidades, y, una vez admitidas, debe aceptar también su acomodación plena en la esfera política. Ésta es la elección responsable que los Estados deben hacer. Una elección que descarta la nacionalidad de los inmigrantes como orientación de las políticas. Se trata de una cuestión que se ha convertido incluso en un problema estructural: parece admitirse que sin la negación de los derechos políticos y la permanente amenaza de expulsión, el sistema no funcionaría. Pero, tal como señala Walzer, este consentimiento implícito no es legítimo para una teoría de la democracia (*SJ*, 58).[3]

De ahí la necesidad de construir una teoría de la democracia que tenga en cuenta a la inmigración. Y ello hace necesaria una adaptación de las

2. Para Walzer, este principio ha orientado las políticas de admisión puesto que se ha dado por implícito que un número pequeño de inmigrantes no tendría un impacto significativo sobre el carácter de la comunidad política, y por lo tanto no ponen en peligro las libertades de los ciudadanos. La afinidad ideológica o étnica puede emplearse una vez el principio de la ayuda mutua no puede usarse para legitimar la admisión, por los efectos perjudiciales que pudiera ocasionar en la sociedad de acogida. En la práctica, este principio teóricamente no-discriminatorio de la ayuda mutua acaba orientándose por la nacionalidad de los inmigrantes y la ideología (*SJ*, 49-50).

3. Es cierto que Walzer proporciona algunos argumentos que justifican la discriminación entre inmigrantes en el nivel de acceso. Ahora bien, la lectura que hago es en el nivel de coexistencia. Una observación que agradezco a I. M. Young.

nociones de ciudadanía a los cambios de este nuevo orden mundial.[4] Entre la literatura que ya ha comenzado a aparecer, existe una convicción generalizada de que la relación entre la democracia y la inmigración debe explorarse siguiendo dos criterios legitimadores: la nacionalidad y el mercado. Cada uno de ellos se encuentra en el origen de una concepción del inmigrante: el inmigrante como un vehículo de valores culturales que entran en conflicto con los de la nacionalidad de recepción, y el inmigrante considerado como una mercancía para la comunidad de acogida. Aunque las bases que fundamentan estos dos criterios son diferentes, ambos fuerzan a los Estados a definir sus responsabilidades y a modificar su estructura institucional para acomodar a los inmigrantes.

El *criterio de la nacionalidad* (usado indistintamente como cultura, en sentido amplio como raza, etnicidad, religión, origen nacional e incluso lenguaje)[5] es quizás el más controvertido. Sus fundamentos tienen la connotación de lo que J. Elster llama «el cemento de la sociedad». Las preguntas básicas relacionan la nacionalidad con la inmigración. ¿Puede un Estado negar la entrada de unos inmigrantes por el simple hecho de preservar su identidad nacional? Si un Estado decide admitir inmigrantes, ¿es justo que tome la nacionalidad como criterio en el proceso de selección? Los Estados liberales están comprometidos, por definición, con la libertad individual y la autonomía, y por lo tanto con el pluralismo que implica el derecho individual de perseguir su propia concepción de lo bueno. Lamentablemente, el liberalismo simplemente no tiene herramientas conceptuales para formular respuestas coherentes cuando algunos grupos de personas adoptan sistemas de valores culturalmente diferentes. En un Estado liberal fuerte, las fronteras deberían estar abiertas para todos, puesto que no existen principios liberales que legitimen los límites de acceso (J. Carens, 1987, 1997; W. F. Schwartz, 1995; V. Bader, 1997). Incluso si los límites pueden justificarse, una vez los inmigrantes viven en el Estado, no existen justificaciones liberales para limitar la expresión de la identidad y de la actividad pública a una parte de la población simplemente porque *no* son nacionales.

Si aplicamos este razonamiento teniendo en cuenta el proceso de globalización en el que estamos inmersos, dos hechos deben tenerse en cuenta: por un lado, y en comparación con la lógica económica globalizadora, la libertad de movimiento está sujeta a condiciones. Esta libertad de movimiento de las personas no está en la misma línea que la libertad de movimiento del capital, de los bienes o de los servicios. Por otro lado, y comparándolo ahora con la lógica de los derechos humanos, la posición actual de los inmigrantes es similar a la situación que prevalecía durante el siglo XIX (y gran parte del XX), cuando a la mayoría de la *población* se le negaba el derecho de pertenecer al *pueblo*, de votar, bajo criterios de exclusión

---

4. Principalmente bajo la presión de la globalización y del multiculturalismo, en sus dos dimensiones principales: la pluralidad de identidades nacionales y la inmigración. Véase R. Axtmann (1996).
5. Me baso en la definición cultural de la nación de Y. Tamir (1993; 8-9).

basados en la propiedad y en el sexo (E. Balibar, 1992; J. de Lucas, 1994; D. Schnapper, 1994). Ahora, el criterio que se usa para legitimar la exclusión ya no es ni el sexo ni la propiedad, sino la nacionalidad. Es, pues, lícito plantearse si el binomio nacionalidad/democracia puede en este nivel todavía funcionar (J. Waldron, 1992; D. Miller, 1995; T. K. Oomen, 1997; D. Held, 1997; D. Zolo, 1997), y si estas dos nociones históricamente conectadas son compatibles desde la perspectiva de una política de inmigración. Las políticas de inmigración basadas en el criterio de nacionalidad contradicen la realidad de esta *new global age*. Estas tensiones pueden en parte solucionarse si la nacionalidad deja de ser el criterio legitimador de las prácticas de los Estados liberales, tanto en el nivel de acceso como en el de coexistencia.

El *segundo criterio, de carácter económico,* plantea cuestiones similares. Aquí el criterio que guía las prácticas estatales ya no es la nacionalidad sino el mercado en general, y más específicamente, el mercado laboral. En teoría, el liberalismo ha defendido la libertad de movimiento de las personas al mismo nivel que la del capital (B. Barry y R. Goodin, 1992; J. Hollifield, 1992). En la práctica, el criterio para admitir a los inmigrantes plantea problemas de democracia, puesto que las personas son tratadas de forma desigual en función de criterios estrictamente utilitaristas (de beneficio estatal). Se parte del convencimiento de que es normal que los Estados tengan derecho de adoptar cualquier práctica hacia la inmigración siempre que sea beneficioso económicamente. Desde esta perspectiva generalizada, si la inmigración es susceptible de incrementar el desempleo o la política fiscal asociada con programas sociales, los Estados son libres de decidir limitar el acceso. En contraste, si la inmigración demuestra ser ventajosa económicamente (recordemos por ejemplo las políticas de los «trabajadores invitados»), entonces se suele tomar generalmente como una razón suficiente para aceptar más inmigrantes. Aquí se percibe con claridad la percepción del inmigrante como una mercancía. Así pues, incluso cuando la base de la admisión es la economía y no la nacionalidad, se crean problemas similares al caso anterior.[6] ¿Es legítimo democráticamente la selección de inmigrantes sobre la base de lo que pueden contribuir económicamente? (J. Carens, 1995; 6-9). ¿Es aceptable dejar decidir a las organizaciones empresariales qué grupos de inmigrantes son susceptibles de contribuir a la producción nacional? ¿Es democráticamente defendible la política de cuotas favorecida por los Estados liberales para regular el acceso de los inmigrantes?

Tal como sugiere este breve recorrido, el lenguaje de la democracia conectado con la inmigración está lejos de ser simple. La relación entre la democracia, la nacionalidad y la inmigración refleja en última instancia las cuestiones fundamentales de los límites morales de las políticas estatales. ¿Hasta qué punto es legítimo que los Estados liberales puedan perseguir sus intereses nacionales (y económicos), y hasta qué punto se les pue-

---

6. Lo he analizado en R. Zapata (2000*b*).

de pedir que se preocupen también de los intereses de los inmigrantes? ¿Está todo permitido o existen límites democráticos a las prácticas estatales? Si existen, ¿cuáles son esos límites? Y una vez determinados, ¿cómo institucionalizarlos? Mi contribución final en este capítulo es presentar este debate y aventurar algunas respuestas planteando estas preguntas en un contexto de política plurinacional: el de la Unión Europea.

3. Democracia e inmigración: requisitos básicos innegociables para un marco crítico evaluativo

Al emprender un análisis que relacione la democracia con la inmigración, debemos previamente delimitar sus dos significados mínimos. Por «inmigrante» entiendo un concepto dependiente del Estado. Esto es, que las condiciones y normas que regulan la actividad del inmigrante proceden de la soberanía del Estado, que es el único componente activo de esta relación vertical.[7] En términos de derechos, los inmigrantes pueden tener derechos sociales, económicos y civiles, pero, por definición, no se les permite participar plenamente en la vida pública. Desde un punto de vista analítico, mientras que la «ciudadanía» es un noción fija, que describe una situación estable, «inmigrante» es, por naturaleza, un término dinámico que describe una condición inestable y transitoria. Vemos ahora el otro componente de la relación, el término «democracia».

Cuando hablo de democracia, el lenguaje que uso es el lenguaje de los juicios morales finales. La democracia establece los parámetros moralmente legítimos de la política pública (J. Carens, 1995; 10). En la literatura sobre esta cuestión, se admite que la base de la democracia reside en el principio de igualdad. En este contexto esto significa que este principio puede definirse en términos negativos como de no-discriminación según el criterio de la nacionalidad. Mi hilo conductor es que este principio juega una papel fundamental, pero diferente, cuando se aplica en el nivel de acceso y en el nivel de coexistencia, puesto que depende de dos fundamentos que se corresponden: el fundamento de la inclusión y el fundamento de lo público. Desde este punto de partida, propondré que una aplicación rigurosa de este principio en ambos niveles requiere que el origen nacional de los inmigrantes deje de orientar las políticas de inmigración.

---

7. Es evidente que el poder del Estado para determinar estas condiciones no es ilimitado, sino que depende de un marco internacional que tiene dos caras: por un lado, las normas del Derecho Internacional en general; por otro lado, los acuerdos internacionales (bilaterales o multilaterales) y los tratados ratificados por el Estado (A. Robertson and J. Merrills, 1993; A. Cassese, 1993). Estas dos dimensiones del marco internacional tienen obviamente unas consecuencias inclusivas para el estatus de los inmigrantes. En el análisis siguiente, daré por sentado esta distinción entre los «deberes internacionales del Estado» y las políticas estatales de inmigración (Y. Soysal, 1994; R. Bauböck, 1994).

3.1. EL PRINCIPIO DE IGUALDAD APLICADO EN EL NIVEL DE ACCESO

Al introducir la inmigración dentro de una reflexión sobre la democracia, uno de los principales problemas con que nos encontramos es el de caracterizar quién está incluido dentro del *territorio* y quién está excluido (Walzer, 1993). La inclusión aparece, pues, como uno de los fundamentos del principio de la igualdad cuando se aplica al nivel de acceso.

La exclusión tendría a su vez dos usos. Puede aplicarse a todos los inmigrantes, independientemente de sus orígenes nacionales, o puede depender de variables como su lengua, su cultura, afinidades históricas, proximidad geográfica, etc. Es decir, la exclusión puede ser universal o selectiva: puede discriminar entre ciudadanos e inmigrantes (independientemente de su origen nacional), o entre los mismos inmigrantes (tomando el origen nacional como uno de los criterios).

La inclusión, considerada como referencia para determinar los límites de los que están dentro y fuera del territorio, también está en el origen de un segundo problema relacionado con el anterior. Tradicionalmente, en Europa al menos, se ha dado por supuesto que el territorio y la nación coincidían (E. J. Hobsbawn, 1990). Si toda la población de un territorio fuera nacional, entonces el problema de la inclusión no tendría sentido. No obstante, esta cuestión plantea problemas en términos de justicia: *¿cómo alcanzar una democracia inclusiva sin amenazar la identidad nacional?* (Z. Layton-Henry, ed. 1990; 22-23). Este tema adquiere mayor sentido cuando aplicamos el principio de igualdad en el nivel de coexistencia, una vez los inmigrantes han sido admitidos.

3.2. EL PRINCIPIO DE IGUALDAD APLICADO EN EL NIVEL DE COEXISTENCIA

En este nivel, interesa discutir las razones invocadas por los Estados para legitimar las restricciones del principio de igualdad a una parte importante de la población residente de forma legal. Tomando este problema como punto de partida, existen al menos dos posiciones teóricas opuestas: una que invoca razones cosmopolitas para eliminar estas restricciones, y otra que defiende su necesidad basándose en argumentos «realistas». Para distinguirlos podemos plantear cual de los dos intereses es más legítimo desde el punto de vista democrático. Los realistas contestarían el interés del Estado, mientras que los cosmopolitas dirían que los intereses de los inmigrantes. Examinemos sus respectivos argumentos.[8]

Los *realistas* argumentan que el mismo concepto de democracia presupone la determinación de un *demos* culturalmente homogéneo, y no lo contrario, y que el carácter específico de este *demos* es naturalmente exclusivo (K. Hailbronner, 1989; 76). Siguiendo esta línea de razonamiento,

---

8. Véase el *review article* de R. Zapata (2000e) para un tratamiento más detallado. [Nota de la versión castellana: una versión más exhaustiva se encuentra en el reciente libro de R. Zapata (2002).]

plantear la relación entre la democracia y la inmigración como un *problema* es simplemente poner el carro por delante de los bueyes. Aquí, el problema se considera basado en falsas premisas. Hoy en día, los inmigrantes residentes permanentes (los *denizens*, T. Hammar, 1989) poseen casi todos los derechos de ciudadanía fuera de la esfera pública. En estas circunstancias, es razonable que los ciudadanos mantengan sus pocos privilegios, que de ningún modo tienen impacto económico, social e incluso psicológico para los inmigrantes (K. Hailbronner, 1989; 79). No obstante, existen también evidencias que algunos principios básicos están amenazados cuando un número de adultos plenamente capacitados para actuar en la esfera pública, están sujetos a una autoridad política que no les da la oportunidad de expresar su identidad cultural. Éste es el punto de partida del enfoque cosmopolita.

La base del argumento *cosmopolita* es que todos los residentes inmigrantes tienen el derecho moral de expresar públicamente sus valores culturales. Cualquier Estado que restrinja esta posibilidad estará actuando contra un principio básico de democracia: igualdad para todos (J. Carens, 1989; 36-37). La justificación de esta posición es que una política de inmigración debe permitir ejercer el derecho moral de participar en la esfera pública a los inmigrantes residentes ya que la autoridad política, si quiere ser democrática, deber estar basada en el consenso de su población. Los inmigrantes residentes permanentes pertenecen a dicha población, por lo tanto sus derechos para poder actuar en la esfera pública deben estar garantizados.

La aplicación de este principio tiene un *fundamento público*. Éste puede entenderse de dos maneras. Por un lado, insiste en el contexto donde se establece la relación entre el *demos* y el Estado. El *demos* expresa su identidad en la esfera *pública*. Por otro lado, destaca la dificultad de delimitar lo que toda teoría de la democracia necesita establecer: el bien *público*. Examinemos cada lectura por separado.

El problema que plantea la primera lectura es que aunque la actividad de los ciudadanos es funcionalmente determinante como un instrumento de inclusión, también es implícitamente exclusiva para aquellos grupos que no pueden expresar sus rasgos diferenciales de una forma públicamente reconocida (I. M. Young, 1989, 1990). Esta actividad pública implica, pues, asimilación o uniformidad cultural (B. Parekh, 1991). Consecuentemente excluye las diferencias que realmente preocupan a las personas. Ésta es la razón por la cual la esfera pública, como esfera distintiva de la actividad del ciudadano, sea considerada en términos homogéneos. La cuestión estriba entonces en determinar las condiciones que hagan posible la comunicación entre el *demos* y el Estado si sólo una parte de la persona está representada: aquella que sea congruente con la identidad requerida para actuar en la esfera pública. Al respecto, existe una literatura reciente que plantea el problema en términos de relación entre la universalidad y la homogeneidad requerida para ser ciudadano y poder actuar en la esfera pública, por un lado; y las diferencias culturales o de identidad que permanecen en la esfera privada, por otro lado. La cuestión política que debe contestarse es, pues: *¿cómo gestionar las diferencias en una esfera pública que tradicionalmente ha tendido a reducirlas y a tratarlas como políticamente irrelevantes?*

La segunda lectura de este fundamento de lo público parte de la premisa de que el *bien público* y el *bien nacional* coinciden. Esto no es nada nuevo. Tradicionalmente, el bien público ha sido considerado como el bien exclusivo del *demos*, y no de la *población*. De ahí que este fundamento de lo público exprese otra cara del problema. Mientras que siguiendo la primera lectura se abordaba el problema en términos de acceso a la esfera pública, esta segunda lectura apunta a los bienes exclusivos otorgados a la ciudadanía.

Este sentido del bien público implica que una teoría de la inmigración debería gestionar los intereses de los inmigrantes, y justificar porqué no son tratados de la misma forma que los ciudadanos. Los realistas evidentemente defenderían esta incongruencia en base a que los intereses de los inmigrantes residentes simplemente no representan el *bien público*. Además, la satisfacción de los intereses de los inmigrantes no es efectiva desde el punto de vista electoral (M. J. Miller, 1989; Z. Layton-Henry, 1990*b*, 1990*c*; U. Andersen, 1990; J. Rath, 1990). Los cosmopolitas considerarían que los residentes inmigrantes, una vez su status ya sea permanente, se benefician de la mayoría de los bienes públicos universalmente distribuidos a los ciudadanos, pero no pueden participar en la determinación de los procedimientos de asignación. Esta lectura denuncia, pues, el hecho de que el bien público no implica actualmente el bien de toda la población, sino solamente el bien del *demos* (R. Dahl, 1992; 354).

4. Democracia y pluralismo cultural en el interior de las fronteras estatales

Hoy en día, el lenguaje de la democracia presentado en las secciones anteriores necesita aplicarse al contexto de pluralismo cultural que existe dentro de las fronteras estatales. Este contexto produce tensiones que están en el núcleo del proceso de reorientación de la tradición liberal democrática (R. Zapata, 1999, 2000*a*).

El análisis que haré en esta sección se sitúa en este proceso. Mi argumento se basa en la premisa de que la democracia liberal solamente triunfará si puede demostrar que es capaz de gestionar institucionalmente estas tensiones de una forma flexible. Se producen serias dificultades cuando se intenta aplicar el lenguaje de la democracia a la evidencia empírica del incremento del movimiento de personas entre Estados (R. E. Goodin, 1992; M. Weiner, 1995, 1996; J. Carens, 1996; D. Jacobson, 1996).

Déjenme antes precisar que aquí utilizo el término «pluralismo cultural» para indicar la existencia de grupos de inmigrantes dispersos territorialmente, con el fin de expresar las dificultades que muestran las sociedades occidentales para gestionar políticamente este fenómeno. En este contexto, existen históricamente al menos tres posiciones que han intentado superar las tensiones entre las costumbres de los grupos de inmigrantes y las prácticas de la sociedad receptora (J. Rex, 1996; R. Bauböck 1996; B. Parekh, 1998). Estos modelos de democracia multicultural pueden incluso analizarse en términos de un proceso histórico. Así cada modelo de acomodación puede verse como una fase histórica que expresa un determinado tratamiento estatal hacia los inmigrantes.

Podemos esbozar las principales orientaciones de cada posición utilizando dos indicadores. Éstos son: la participación en la decisión y en la gestión política de la diferencia cultural, y el reconocimiento institucional del carácter cultural de la esfera pública. Cada posición satisface una exigencia de asimilación, de integración o de autonomía. Examinemos los fundamentos que ayudan a legitimar el tratamiento estatal hacia los inmigrantes.[9]

El *modelo asimilacionista* expresa históricamente la primera reacción del Estado para gestionar la diversidad cultural producida por la presencia de los inmigrantes. Este modelo no expresa ninguna necesidad de variar los límites y el contenido de los valores que componen una esfera pública, eminentemente monocultural. Evidentemente, tampoco facilita la participación de los inmigrantes en las decisiones y gestión política de la diferencia, en manos exclusivamente de los ciudadanos. La coexistencia entre inmigrantes y autóctonos es percibida como competencia, y como tal, el grupo que dispone de más recursos para su supervivencia (el de los ciudadanos) podrá exigir a los otros las condiciones de acceso en una esfera pública controlada por ellos mismos. En términos de los dos indicadores anteriores, la asimilación puede definirse como aquella que establece la decisión y la gestión política de la diferencia en manos de la ciudadanía, y el carácter monocultural de la esfera pública. El inmigrante que quiera acceder a ella deberá, por lo tanto, dejar para la esfera privada aquellas prácticas susceptibles de poner en tensión las ya establecidas. Este modelo sólo defiende la intervención estatal cuando se percibe que la cultura autóctona está amenazada por cualquier forma de «invasor cultural».

El *modelo integracionista* es el que tiene más adeptos en la actualidad. Aquí, el Estado reconoce que los inmigrantes han abandonado cualquier idea de retorno hacia sus países de origen y que han decidido construir su vida en los países de residencia. Compartiría con el modelo anterior la defensa de que la decisión y gestión política de la diferencia permanezca en manos de la ciudadanía, aunque admitiría algunas variaciones del contenido y de los límites culturales de la esfera pública para permitir que ciertas prácticas de los inmigrantes tengan algún reconocimiento. Este reconocimiento institucional tiene como impulso el deseo de apaciguar el conflicto emergente entre la población autóctona y la inmigrante, y obtener así un mayor grado de estabilidad social. En este caso la esfera públi-

---

9. Para más detalles sobre estos tres modelos, véase R. Zapata (2000*d*).

ca podría considerarse como pluricultural, aunque su contenido y sus límites todavía estén controlados por la ciudadanía. Las demandas de los inmigrantes que consigan pasar el «filtro» del control ciudadano podrán así ser públicamente practicadas y reconocidas. La ciudadanía, no obstante, es quien, en última instancia, decide o no satisfacer las necesidades específicas de los inmigrantes. En contraste con el modelo asimilacionista, el integracionista rechazaría la asimilación cultural, pero exigiría a los inmigrantes una *integración* en la sociedad de recepción. Esto significa que la ciudadanía estaría dispuesta a cambiar el carácter de su esfera pública, «inter-culturalizarla», si se me permite la expresión, pero sin posibilidad de participación política en la gestión de la diferencia por parte de los inmigrantes.

El *modelo autónomo* avanza un paso más. Sólo cinco países europeos (Suecia, 1975; Suiza, 1975; Dinamarca, 1977; Noruega, 1978; y Holanda, 1985) han entrado en esta fase, aunque sea a nivel local (D. Lapeyronnie, 1992). Comparte con el modelo integracionista la necesidad de crear una esfera pública sensible a las prácticas de los inmigrantes. En tal caso su exigencia hacia los inmigrantes sería también la integración. Pero en contraste con los dos modelos anteriores, estaría dispuesta a que los mismos inmigrantes pudieran también jugar un papel en la determinación de las políticas que les afectan. Por su carácter participativo, este modelo fomentaría la autonomía política de los inmigrantes. En una palabra, podrían participar, como un ciudadano más, en la toma de decisiones y en la gestión del contenido y límites de la esfera pública.

Cualquiera que sea la posición de un Estado, todos comparten una preocupación por encontrar los medios políticos para asegurar una coexistencia pacífica entre los inmigrantes y los ciudadanos. Déjenme proseguir esta línea de razonamiento en relación con la Unión Europea, contexto que plantea desafíos muy serios en el momento de construir una teoría de la democracia que tome en consideración el fenómeno de la inmigración.

5. Los límites de una Europa multinacional[10]

Siguiendo el tema principal de este libro, mi objetivo es destacar que el fuerte vínculo tradicional e histórico entre la nacionalidad y la ciudada-

---

10. [Nota del autor para la versión castellana: desde la aparición del capítulo en la versión inglesa han habido numerosas novedades en el marco institucional de la UE. El procedimiento *scoreboard* o de *marcador* por ejemplo, instaurado por el Comisario Vittorino, y las sucesivas recomendaciones de la Comisión donde se va definiendo un *enfoque europeo* en el tratamiento de la inmigración, recogidos en A. Terrón (coord.), *Ciudadanía europea e inmigración*, *Revista Cidob d'Afers Internacionals*, 53, 2001. He optado no obstante por dejar el análisis institucional tal como apareció en la versión inglesa por dos razones: en primer lugar, estos nuevos pasos institucionales proceden la mayoría de ellos de informes y recomendaciones de la Comisión, y por lo tanto tienen todavía un estatus de *desideratum* hasta que el Consejo, y por unanimidad, no los apruebe; por otro lado, no hacen variar sino más bien consolidan los principales argumentos de la parte teórica de este capítulo.]

nía, es el núcleo de las dificultades normativas que se producen al relacionar la democracia multinacional y la ciudadanía.

A partir del análisis teórico anterior, podemos llegar a la siguiente conclusión: la necesidad de desprendernos de toda exclusión y discriminación selectiva (es decir, no diferenciar entre nacionalidades de los inmigrantes), y asegurar una igualdad de tratamiento y de oportunidades. Con esta premisa básica analizaremos la Unión Europea, con el objetivo de formular las recomendaciones que consideremos más importantes para proseguir el debate. En el primer apartado repasaré muy brevemente la historia de la estructura institucional de la UE; en el segundo apartado, y como conclusión final, me centraré en los desafíos normativos que se le plantean al proceso político europeo. Mi argumento será que una posible solución parcial para solventar estos problemas normativos es introducir la categoría de *euro-inmigrante*, basada en la residencia, en lugar de seguir la tradicional lógica estatal de la nacionalidad. Esta base es mucho más legítima si Europa desea conectar su carácter multinacional con la democracia.

5.1. Breve recorrido histórico de las políticas europeas de inmigración[11]

Al considerar la evolución de la UE en torno a su tratamiento de la inmigración, podemos destacar cuatro etapas: inicios de la cooperación intergubernamental (1975-1986); Acta Única Europea (1986-1992); Tratado de Maastricht y Acuerdo de Schengen (1992-1997); y Tratado de Amsterdam (1998-actualidad).

Inicios de la cooperación intergubernamental (1975-1986): a partir de 1975 se va implantando paulatinamente una colaboración en el ámbito de la inmigración. Se constituye, por ejemplo, el denominado *Grupo de Trevi*, integrado por los entonces nueve ministros de Interior, con el objetivo de coordinar esfuerzos contra el terrorismo y la cooperación judicial y policial, creando subgrupos de trabajo. En este contexto, las instituciones europeas quedaban al margen. Este proceso era estrictamente intergubernamental. Por lo tanto, la lógica estatal prevalecía sobre la lógica de la UE.

Acta Única (1986-1992): con el *Acta Única* se produce un importante paso adelante en dicha cooperación, desarrollada hasta entonces con poca transparencia incluso para las mismas instituciones europeas. Según el art. 8A del *Acta*, se da un reconocimiento institucional a la libertad de circulación de los ciudadanos como una de las condiciones principales del Mercado Único, quedando incluida como materia de competencia comunitaria. Los grupos de trabajo que se crean a partir de ese momento incluyeron, como observadores, a representantes de la Comisión. Se constituye, entre otros, *un Grupo «ad hoc» sobre Inmigración* en 1986, integrado

---

11.   Esta sección resume los principales argumentos de R. Zapata (2000*c*). Véase también A. Geddes (2000).

por los ministros responsables de la inmigración, y el tema pasa a ser gestionado por vez primera por la Comisión. Desde entonces, el Consejo pasará a ocuparse principalmente de la cooperación judicial, penal y civil.

En este contexto, una de las primeras reacciones del Consejo fue la de vincular la libertad de circulación con la seguridad. En 1988 encarga al *Grupo* que propusiera medidas para ello. Como resultado, se propone un programa de trabajo, el *Documento de Palma*, que recomendaba entre otras cosas un enfoque más coordinado en los aspectos de cooperación en materias de justicia e interior. El método utilizado seguía siendo intergubernamental, es decir, se limitaba a elaborar convenios, formular resoluciones, conclusiones y recomendaciones. Medidas que pertenecen, de hecho, al derecho internacional clásico.

En esta dinámica se establecen dos convenios importantes en el año 1990: el *Convenio de Dublín* y el *Convenio de ejecución de Schengen* (C. Escobar, 1993; M. L. Espada, 1994). El primero establece la determinación del Estado responsable de examinar una solicitud de asilo presentada en uno de los EEMM; el segundo tenía ya sus raíces en el *Acuerdo Schengen* de 1985, y potencia, entre otras cosas, la creación de nuevas estructuras operativas para garantizar la cooperación policial y aduanera en la UE. Este segundo acuerdo ha creado un espacio *Schengenland*, es decir, un proceso progresivo de abolición de los controles fronterizos «internos» entre los estados signatarios.

Tratado de Maastricht y Acuerdo de Schengen (1992-1997): el Tratado de la Unión Europea (TUE) o Tratado de Maastricht (1992) supone un paso cualitativo de suma importancia desde la creación de la Comunidad Europea. Entre los hechos distintivos que afectan a la inmigración cabe mencionar la creación de dos motores (aunque todavía de diseño, sin haber salido de la «fábrica») para cada dimensión del proceso de construcción de la Unión: El motor del *Euro* para la dimensión económica, y el motor de la *ciudadanía europea* para la política. Asimismo, la estructura de la UE en tres pilares es uno de los pasos decisivos. El pilar de la Comunidad Europea (o pilar estrictamente comunitario) para determinadas materias, que se caracteriza entre otras cosas en el hecho de que los EEMM pierden gran parte de su soberanía, y donde intervienen las tres instituciones básicas: la Comisión, el Consejo y el Parlamento. En contraste, el segundo y tercer pilares siguen una lógica de cooperación y no de integración. La mayoría de las decisiones se toman por unanimidad, con la consecuente permanencia de la competencia de los Estados a través del órgano decisor: el Consejo. El segundo pilar (*Política Exterior y de Seguridad Común, PESC*) trata de las políticas exteriores de la UE, y el tercer pilar (*Cooperación en Justicia y Asuntos del Interior, CJAI*), es la vertiente interna de la política de la UE. Con Maastricht se institucionaliza, pues, la cooperación iniciada en 1975.

Antes de entrar a comentar el significado de Schengen, si hacemos un balance rápido de estos años, la inmigración se constituye como una de las «patatas calientes» sometidas más a una lógica estatal que estrictamente europea. Las normas del título VI (relativo a la *CJAI*) son, de hecho, más normas tradicionales del derecho internacional público que estrictamente del derecho comunitario. Delimita el marco para la cooperación entre Estados. Como consecuencia, este tercer pilar se caracterizó por la parálisis en las decisiones, e institucionalizó una percepción determinada del inmigrante. En efecto, su estructura solamente ofrecía a las instituciones comunitarias una participación parcial, sin posibilidad de control real sobre las decisiones de los EEMM. La parálisis fue la tónica general, en tanto que el Consejo no llegaba a la unanimidad para adoptar decisiones. En cuanto a la percepción del inmigrante, queda patente en el art. K.1., donde se establecen los ámbitos de «interés común». La inmigración (el acceso, la circulación, la estancia, sus irregularidades en la residencia y en el trabajo) está incluida en un listado juntamente con la política de asilo, las normas para el cruce de fronteras, la lucha contra la toxicomanía, el fraude internacional y la cooperación aduanera, judicial, penal y civil (que incluye el terrorismo, entre otros).

Esta construcción institucional estereotipada del inmigrante como potencial delincuente se expresa asimismo en el *Acuerdo de Schengen*. Su objetivo básico está vinculado a unas de las primeras convicciones de la UE cuando comenzó a institucionalizar la cooperación en materia del interior: para conseguir *de facto* la libertad de circulación de las personas se hacía necesaria la supresión gradual de los controles de las fronteras internas.[12]

En términos estrictos, este «espacio Schengen» (*Schengenland*) significa que la UE da la posibilidad a los Estados firmantes de utilizar el marco institucional europeo para que cooperen estrechamente en ámbitos específicos. Será a partir del *Tratado de Amsterdam (TA)* cuando se incorpore explícitamente en el marco de la UE. Se crea así una secretaría general del Consejo. Con el *TA Schengen* se conecta definitivamente a las medidas comunes sobre inmigración (y asilo), *manteniéndose* la política de control de las fronteras externas para frenar la inmigración llamada «ilegal». Es decir, se da un reconocimiento institucional a la percepción jurídica de la inmigración, destacándose tan sólo su dimensión negativa como generadora de delincuencia, de redes ilegales, etc., simplemente como «amenaza» a la estabilidad de la UE.

A partir de Maastricht el principio de no-discriminación como guía para establecer la libertad de circulación de las personas solamente se hace operativo en el nivel interno de la UE y afecta tan sólo a los ciudadanos de los EEMM. Este precepto no es aplicable a aquellos que pretenden entrar desde las fronteras exteriores a la UE, sea cual sea su nacionalidad. Evitando hacer demasiada retórica al respecto, es cierto que institucional-

---

12. Este aspecto gradual también se expresó en las incorporaciones de este nuevo «espacio Schengen». Firmado en junio de 1985 por cinco países (Benelux, Alemania y Francia), tras el Convenio de aplicación de junio de 1990 se incorporan sucesivamente Italia (nov. 1990), España y Portugal (jun. 1991), Grecia (nov. 1992), Austria (abril 1995), y finalmente Finlandia, Suecia y Dinamarca (dic. 1996), y, aunque no miembros, Noruega e Islandia. En total, actualmente el «espacio Schengen» lo constituyen 13 países. En la lógica de la «flexibilidad de la UE», faltan Gran Bretaña e Irlanda.

mente los inmigrantes no son considerados ni tan siquiera como personas, puesto que la libertad de circulación interna solamente beneficia a las personas en tanto que ciudadanos de un Estado miembro. Ante estos hechos «¿cómo se explica que los EEMM de la UE hayan acordado políticas migratorias intraeuropeas tan liberales basadas en la delegación de autoridad y a la vez hayan insistido en el intergubernamentalismo estricto y la exclusión de la inmigración procedente de fuera de la UE?». El reciente *Tratado de Amsterdam* nos proporciona algunas pistas al respecto.

Tratado de Amsterdam (1998-actualidad): el *TA* tiene sus orígenes tras las negociaciones de Maastricht, donde se acordó que a mitad de la década se realizaría una revisión completa (G. Edwards y G. Wiessala, 1998). Desde mi óptica, la nueva estructuración de la UE introduce tres novedades: la integración como política común (primer pilar) de las materias relativas a la inmigración y el asilo (equivocadamente llamado, como veremos, *la comunitarización del tercer pilar*); la incorporación de un nuevo objetivo, un espacio de libertad, justicia y seguridad; y la confirmación de la ciudadanía europea. Todas estas «novedades» expresan de hecho la lógica de la prudencia que caracteriza a la UE en asuntos de inmigración, que en algunos puntos roza casi la hipocresía. Antes de repasar cada una de ellas por separado, justifiquemos esta valoración.

Sorprende de entrada que a pesar de estrechar la interacción entre la libertad, la seguridad y la justicia (cada una de ellas sirve de mediador para conseguir las otras), no se haya dado la oportunidad a principios orientadores tan básicos como la igualdad y el pluralismo, inexistentes en los mismos nuevos objetivos de la Unión (art. B). Examinando con detalle este nuevo Tratado, la noción misma de pluralismo aparece una única vez, en relación no a la cultura, ni mucho menos a las naciones sin Estado, sino a los medios de comunicación (*Protocolo sobre el sistema de radiodifusión pública de los EEMM*). La Igualdad solamente aparece en relación con la igualdad de oportunidades y de trato en el mercado laboral, concretamente entre hombres y mujeres (nuevos arts. 2 y 3, arts. 118 y 119). En este caso, no se hace mención de la igualdad entre ciudadanos e inmigrantes. La misma palabra extranjero es inexistente; y las palabras inmigrante o inmigración aparecen insertadas como medidas para salvaguardar el espacio de libertad, seguridad y justicia. La inmigración es, pues, percibida como un componente que amenaza dicho espacio, bajo una lógica proteccionista, excluyente, de custodia de las fronteras. En este aspecto, las modificaciones del Tratado, en lugar de expresar un cambio cualitativo, manifiesta una clara voluntad de continuidad, orientando la inmigración hacia temas de seguridad, a través de cuestiones de eficiencia y de la dotación de nuevos instrumentos jurídicos para conseguirlo. Veamos ahora paso a paso las novedades aludidas anteriormente.

a)   *Comunitarización del tercer pilar:* una de las «grandes novedades» del *TA* es el haber trasladado al primer pilar una parte de los asuntos que hasta ahora se trataban en el tercer pilar. Esta comunitarización se aplica principalmente a todo lo relacionado con el paso de fronteras externas, la inmigración y la cooperación judicial civil. En materia penal y de policía se mantiene la cooperación, pero con un sistema jurídico más vinculante. En concordancia, el tercer pilar pasa ahora a denominarse Cooperación policial y judicial en asuntos penales. Pero esta «comunitarización», de ahí que se preste a equívocos, estará por espacio de cinco años supeditada a los procedimientos típicos de la lógica de los Estados, a saber, a la unanimidad.

b) *Nuevo objetivo: espacio de libertad, justicia y seguridad:* la comunitarización se basa en el vínculo explícito que se hace a partir de ahora, entre la libertad de circulación de las personas (los eurociudadanos) y la necesidad de adoptar medidas para garantizar la seguridad de las personas en este espacio (A. Valle, 1998). La novedad no es tanto establecer dicho vínculo, sino institucionalizarlo a través del Derecho Común (la justicia). Remito al Plan de acción de Cardiff (dic. 1998), para confirmar las concepciones que se expresan de los conceptos de libertad, seguridad y justicia.

Salta a la vista, en cualquier lectura en clave de teoría política, el uso de la noción negativa de libertad, referida a la circulación, el vivir en un entorno respetuoso con la ley, la protección de derechos humanos y el respeto a la intimidad; en concordancia, la seguridad se refiere principalmente a la garantía de un espacio privado de vida, y la justicia expresa una preocupación para que el ciudadano perciba una concepción unitaria del derecho de la Unión.

La lógica de la UE es, podríamos decir, de primer grado: el hecho de permitir la libertad de desplazamiento de un Estado miembro a otro puede comportar peligros de seguridad para los ciudadanos. A menos que dicha libertad se efectúe en un espacio donde se sientan seguros, resulta imposible disfrutar plenamente de los beneficios que de él se derivan. Hay delitos que pueden simplemente trascender las fronteras y aprovecharse de este nuevo espacio: el terrorismo, la delincuencia, el tráfico de drogas, el fraude, el racismo y la xenofobia. De ahí que la UE también deba tener los instrumentos jurídicos (la justicia) para proteger a los ciudadanos de estos peligros (de ahí la obsesión por la seguridad).

La inmigración se ve directamente afectada por esta lógica cerrada puesto que es una de las «amenazas» en la mente de los gestores políticos europeos. En este sentido el *TA* recomienda medidas específicas para crear una política común de controles y permisos de entrada en las fronteras exteriores. En el plazo de cinco años a partir de la entrada en vigor del *TA*, se contemplan las siguientes medidas: en el ámbito interno, la supresión total de control de las personas tanto ciudadanas como euroextranjeros; en el ámbito externo, todo un listado de normas y procedimientos comunes de control, incluyendo un modelo uniforme para los visados y de los terceros países cuyos ciudadanos estarán exentos de esta obligación, las condiciones de entrada y de residencia en la UE, normas comunes sobre los procedimientos de expedición de los permisos de residencia de larga duración, normas para luchar contra la inmigración clandestina y la residencia irregular e incluso sobre la expulsión, derechos comunes de los inmigrantes regulares y condiciones para su movilidad entre los EEMM.

c) *Ciudadanía europea:* el TUE ya estableció el derecho de voto de los ciudadanos europeos en las elecciones locales, desvinculando por vez primera la conexión clásica ciudadanía/derecho de voto/nacionalidad. Ante el debate que se generó sobre la relación entre la ciudadanía de la Unión y la de los EEMM, el *TA* completa el art. 8 de Maastricht para evitar malentendidos confirmando explícitamente que la «ciudadanía de la Unión *será complementaria y no substitutiva* de la ciudadanía nacional» (estatal).

6. Desafíos normativos: disfunciones institucionales en una Europa multinacional

El problema de los límites de una Europa multinacional descansa básicamente en la naturaleza asimétrica de la integración económica y política en la UE. En este capítulo, he utilizado el tema de la inmigración para mostrar dónde se manifiestan más claramente estos límites. La integración económica y política se está produciendo con diferentes velocidades y fuerzas motrices. Esto se ve claramente cuando se compara el debate sobre el Euro y el de la ciudadanía europea. En el nivel político, el lenguaje de la democracia está todavía en la lista de espera. El proceso económico tiene demasiados años de ventaja frente al todavía reciente proceso político, de ahí que éste tenga todavía poco apoyo institucional. La conexión entre ambos procesos todavía no se ha establecido.

Podemos destacar, además de los ya mencionados, al menos seis temas relacionados que invitan a la reflexión normativa. Según nuestra argumentación, todos ellos apuntan a que la lógica de la UE se comprometa directamente con la realidad multinacional de su territorio, adquiriendo independencia para estructurarse respecto a la lógica de los Estados. Por el momento, es como si los Estados dejasen cierta autonomía política a la UE, pero siempre bajo una vigilante mirada para que se mantenga su lógica estatal.

1. Cuando se introduce la dimensión de los *euro-inmigrantes* en el debate (R. Zapata, 1998*a*, 1998*b*), la paradoja es más nítida. Los *euro-inmigrantes* simplemente no tienen derecho a la libertad de movimiento. Pueden beneficiarse, eso sí, de derechos sociales si adquieren el estatuto permanente de residencia (como *denizens*), pero, a causa de esta falta de libertad de movimiento, están privados de dichos derechos en otros Estados miembros. Cuando se trasladan de un Estado a otro, no pueden llevar consigo sus derechos limitados concedidos por un Estado miembro deter-

minado. Para ellos, la UE simplemente no existe, y si la perciben, sólo ven una entidad que se está construyendo a sus espaldas y que pertenece a un club «privilegiado» del cual están excluidos.

2.   Estamos de nuevo asistiendo a la construcción de un *demos* que en lugar de ampliar sus límites cualitativamente, lo hace tan sólo cuantitativamente, manteniéndose en su forma de lógica estatal. Esta tendencia se percibe cuando abordamos el tema desde el punto del debate sobre la identidad pública europea. La tan reclamada en ciertos círculos académicos *identidad pública europea* se está diseñando por oposición a «los otros no europeos». Esto se ve claramente en los Eurobarómetros cuando queda patente la percepción negativa que tienen los eurociudadanos de los euroextranjeros (M. Ugur, 1998; 308). Estas señales emergentes de la aparición de una *identidad europea* invitan, cuanto menos, a la reflexión. Los euroextranjeros no tienen derecho a ella.

3.   Desde el punto de vista normativo de la democracia que he propuesto, existe una fuerte necesidad de iniciar un debate teórico e institucional sobre qué modelo de inmigración debe adoptar la UE. Como he insistido en otras ocasiones (R. Zapata 1998c), si queremos hablar de una ciudadanía europea que fomente una unión política multinacional, debemos poder ser capaces de hablar de una categoría de *euro-inmigrantes*, algo imposible por el momento. De igual forma, si se quiere hablar de una Europa Política, debemos ser capaces de poder hablar de una única política de inmigración, y no de quince. Cuando estos temas comiencen a plantearse, deberían orientarse por los principios de democracia discutidos anteriormente. Sin esta voluntad, la futura política de la UE nos proporcionará nuevos argumentos para incrementar el déficit democrático que ya existe. No podemos comenzar un discurso sobre la democracia en la UE si no hacemos frente a la situación asimétrica en que viven los inmigrantes, dependiente de los EEMM.

4.   Este debate puede tener lugar en dos niveles: en el caso de los inmigrantes que ya viven en uno de los EEMM y que desean participar en el proceso de decisión que les afecta directamente; y en el caso de los inmigrantes que desean acceder, lo cual afecta directamente las decisiones estatales. Aunque estos dos niveles siguen lógicas diferentes, es cierto también que están interconectados. El segundo nivel afecta directamente al primer nivel. En el primer caso, el criterio de la nacionalidad de los inmigrantes debería desaparecer y ser sustituido por el criterio de la residencia (el principio de la *Europa de los residentes*, en lugar de la tan glorificada *Europa de los ciudadanos*). De tres a cinco años de residencia podrían ser suficiente para que un inmigrante pueda participar políticamente y beneficiarse de una plena autonomía. En el segundo caso, sugiero seguir el principio de la inclusión universal (el principio del *control basado en el origen nacional es democráticamente indefendible*). Este principio de la inclusión universal implicaría en la práctica abandonar también toda consideración de afinidad cultural o de preferencias nacionales que podemos encontrar en las políticas de inmigración estatales. En resumen: los inmi-

grantes, cualquiera que sea su origen nacional, deben tener un tratamiento igual y las mismas oportunidades para entrar en Europa. Los inmigrantes que ya viven en Europa deben poder tener la oportunidad de participar en la formulación de políticas. Dejar que los inmigrantes residentes puedan participar en el proceso de decisión política responde al principio *que los residentes permanentes (denizens) no deben estar privados de la oportunidad de acomodarse políticamente* (el modelo autónomo introducido en una sección anterior).

5.   Otro tema que merece una consideración normativa es la connotación peyorativa vinculada al estatus de inmigrante en la UE, a pesar de los esfuerzos de usar un lenguaje «políticamente correcto» en el Tratado de Amsterdam. Desde el Tratado de Maastricht la situación es la siguiente: existe una institucionalización formal de la ciudadanía europea, la cual corresponde al primer pilar, y consecuentemente es una materia de política comunitaria y de integración. La noción opuesta, la del inmigrante, pertenece (a pesar del tratado de Amsterdam) al tercer pilar, y es materia de interés común siguiendo la cooperación intergubernamental. Esta disfunción institucional es uno de los problemas prácticos más importantes y explica en parte por qué no es todavía posible hablar de una ciudadanía europea democrática, con su contenido distintivo propio e independiente de los EEMM. Queda claro el contexto que contempla el tercer pilar: el interés general sirve para legitimar las restricciones en materia de circulación de personas. Los inmigrantes pertenecen al mismo nivel institucional que los traficantes de drogas, los terroristas y los criminales internacionales.

6.   Finalmente, para iniciar una reflexión sobre este tema, debemos enfrentarnos a la *situación asimétrica que viven los inmigrantes en la UE.* Por el momento, a pesar de la existencia formal de la ciudadanía europea, un inmigrante (por ejemplo un latinoamericano) que desee entrar y vivir en España se beneficiará de un status muy diferente al que tendría si decidiera instalarse en Alemania. Esto se debe en parte a la variedad de tradiciones que tienen los EEMM al tratar a los inmigrantes y a sus respectivos conceptos de ciudadanía. La necesidad de construir una categoría de *euro-inmigrante* es un prerrequisito para cualquier política europea futura de inmigración. Al formular dicha política, las consideraciones sobre la nacionalidad de los inmigrantes deberían desaparecer.

Referencias

Andersen, U. (1990): «Consultative institutions for migrant workers», en Layton-Henry (ed.); 113-126.

Axtmann, R (1996): *Liberal democracy into the twenty-first century: globalization, integration and the nation state*, Manchester: Manchester University Press.

Bader, V. (1997): «Fairly open borders», en ed. *Citizenship and exclusion*, Londres: MacMillan Press.

Balibar, E. (1992): *Les frontières de la démocratie*, París: La Découverte/essais.

Barry, B. and Goodin, R. E. (ed.) (1992): *Free Movement: ethical issues en the transnational migration of people and of money*, Pennsylvania: The Pennsylvania State University Press.

Bauböck, R. (ed.) (1994): *From aliens to citizens: redefining the status of immigrants in Europe*, Aldershot: Avebury.

Bauböck, R., Heller, A. y Zolberg, A. R. (eds.) (1996): *The Challenge of diversity*, Aldershot: Avebury, European Center Vienna V. 21. Brubaker, W. R. (ed.) (1989): *Immigration and the politics of citizenship in Europe and North America*, Londres/Lanham: University Press of America.

Carens, J. H. (1997): «Liberalism and culture», en *Constellations*, 4/1; 35-47

— (1996): «Realistic and idealistic approaches to the Ethics of Migration», en *International Migration Review*, V. 30/1; 156-170.

— (1995): «Immigration, welfare, and justice», en W. F. Schwartz (ed.); 1-17.

— (1989): «Membership and morality: admission to citizenship in liberal democratic states», en Brubaker (ed.); 31-49.

— (1987): «Aliens and citizens: the case for open borders», en *The Review of Politics*, 49/2; 251-73.

Cassese, A. (1993): *Los derechos humanos en el mundo contemporáneo*, Barcelona: Ariel.

Cesarini, D. y Fulbrook, M. (eds.) (1996): *Citizenship, Nationality and Migration in Europe*, Londres, Nueva York: Routledge

Dahl, R. (1992): *La democracia y sus críticos*, Barcelona: Paidós.

Dummet, A. y Nicol, A. (1990): *Subjects, citizens, aliens and others. Nationality and immigration law*, Londres: Weidenfeld and Nicholson.

Edwards, G. y Wiessala, G. (eds.) (1998): *The European Union 1997: Annual review of activities*, Oxford: Blackwell/Journal of Common Market Studies.

Elster, J. (1989): *The cement of society*, Cambridge: Cambridge University Press.

Geddes, A. (2000): *Immigration and European integration: towards fortress Europe?*, Manchester: Manchester University Press.

Goodin, R. E. (1992): «If people were money...», en Barry and Goodin (ed.); 6-22.

Hailbronner, K. (1989): «Citizenship and nationhood in Germany», en Brubaker (ed.); 67-79.

Hammar, T. (1989): «State, nation, and dual citizenship», en Brubaker (ed.); cap. 4, 81-95.

Held, D. (1997): *Democracy and the global order*, Polity Press.

Hobsbawm, E. J. (1990): *Nations and nationalism since 1780*, Cambridge: Cambridge University Press.

Hollifield, J. F. (1992): *Immigrants, markets, and states*, Cambridge, MA: Harvard University Press.

Jacobson, D. (1996): *Rights across borders: immigration and the decline of citizenship*, Londres: The Johns Hopkins University Press.

Kellas, J. G. (1991): *The politics of nationalism and ethnicity*, Londres: MacMillan.

Kynlicka, W. (1995): *Multicultural citizenship*, Oxford: Clarendon Press.

— (1989): «Liberal individualism and liberal neutrality» en *Ethics*, 99; 883-905.

Lapeyronnie, D. (ed.) (1992): *Immigrés en Europe: politiques locales d'integration*, La Documentation Française.

Layton-Henry, Z. (ed.) (1990): *The political rights of migrant workers in Western Europe*, Londres: Sage.

— (1990a): «The challenge of political rights», en (ed.); 1-26.

— (1990*b*): «Citizenship or denizenship for migrant workers?», en (ed.); 186-195.

Lehning,P. B. y Weale, A. (eds.) (1997): *Citizenship, democracy and justice in the new Europe*, Londres, Nueva York: Routledge.

Lucas, J. de (1994): *El desafío de las fronteras*, Madrid: Temas de Hoy/Ensayo.

Miller, D. (1995): *On nationality*, Oxford: Clarendon Press.

Miller, M. J. (1989): «Political participation and representation of noncitizens», en Brubaker (ed.); 129-43.

Oomen, T. K. (1997): *Citizenship, nationality, and ethnicity*, Cambridge: Polity Press.

Parekh, B. (1998): «Integrating minorities in a multicultural society», en U. K. Preuß and F. Requejo (eds.): *European Citizenship, multiculturalism and the state*, Baden-Baden: Nomos 31, cap. 4; 67-86.

— (1991): «British citizenship and cultural difference», en G. Andrews (ed.), *Citizenship*, Londres, Lawrence and Wishart; 183-204.

Rath, J. (1990): «Voting rights», en Layton-Henry (ed.); 127-157.

Rex, J. (1996) *Ethnic minorities in the modern nation state*, Londres: MacMillan Press.

Robertson, A. H. y Merrills, J. G. (1993): *Human Rights in Europe: a study of the European Convention on Human Rights*, Manchester: Manchester University Press.

Schwartz, W. F. (ed.) (1995): *Justice in immigration*, Cambridge: Cambridge University Press.

Schnapper, D. (1994): *La communauté des citoyens: sur l'idée moderne de nation*, Gallimard.

Soysal, Y. N. (1994): *Limits of citizenship: migrants and postnational membership in Europe*, Chicago and Londres: The University of Chicago Press.

Tamir, Y. (1993): *Liberal nationalism*, Princeton (NJ): Princeton University Press.

Ugur, M. (1998): «Libertad de circulación versus exclusión: una reinterpretación de la división "propio-extraño" en la Unión Europea», en G. Malgesini (comp.), *Cruzando fronteras: migraciones en el sistema mundial*, Madrid: Icaria/Fundación Hogar del Empleado; cap. 7; 289-335.

Valle, A. (1998): «La refundación de la libre circulación de personas, Tercer pilar y Schengen: el espacio europeo de libertad, seguridad y justicia», en *Revista de Derecho Comunitario*, 3; 41-78.

Waldron, J. (1992): «Minority cultures and the cosmopolitan alternative», en *University of Michigan Journal of Law Reform*, vol. 25, 3/4, 751-793.

Walzer, M. (1997): *On toleration*, New Haven/Londres, Yale University Press.

— (1993): «Exclusion, injustice, and the democratic state», *Dissent*, 40; 55-64.

— (1983): *Spheres of Justice: a defense of pluralism and equality*, Nueva York: Basic Books.

— (1982): «Pluralism in political perspective», en M. Walzer *et al.* (eds.), *The Politics of ethnicity*, Cambridge, Mass., Londres: The Belknap Press of Harvard University Press; 1-28.

Weiner, M. (1996): «Ethics, national sovereignty and the control of immigration», en *International Migration Review*, V. 30/1; 171-197.

— (1995): *The global migration crisis: challenge to states and to human rights*, Nueva York: Harper Collins.

Wieviorka, M. (1998): *Le racisme, une introduction*, Paris: La Découverte.

— (ed.) (1997): *Une société fragmentée?Le multiculturalisme en débat*, París: La Découverte.

Young, I. M. (1990): *Justice and the politics of difference*, Princeton, N.J.: Princeton University Press.

— (1989): «Polity and group difference: a critique of the ideal of universal citizenship», *Ethics*, 99; 250-274.

Zapata, R. (1998*a*): «Thinking European citizenship from the perspective of an eventual Euro-foreigner», en U. K. Preuß and F. Requejo (eds.), *European Citizenship, multiculturalism and the state*, Baden-Baden: Nomos 31, cap. 9; 151-168.

— (1998*b*): «Ciudadanía europea y extranjería», en *Claves de la razón práctica*, 87; 29-35.

— (1999): «¿Necesitamos un nuevo concepto de ciudadanía? Estabilidad democrática y pluralismo cultural», en *Revista Internacional de Filosofía Política*, 13; 119-149.

— (2000*a*): *Ciudadanía, justicia y pluralismo cultural: hacia un nuevo contrato social*, Barcelona: Anthropos.

— (2000*b*): «Justicia para extranjeros: mercado e inmigración», en *Revista Española de Investigación Sociológica*, 90; 159-181.

— (2000*c*): «Política de inmigración y Unión Europea», en *Claves de la razón práctica*, 104; 26-32.

— (2000*d*): «Nous reptes per a la teoria liberal-democràtica: justícia i immigració», *Diàlegs*, vol. III, 8; 31-55.

— (2000*e*): «Inmigración e innovación política», *Revista Migraciones*, 8.

— (2002): *L'hora dels immigrants: esferes de justícia i polítiques d'acomodació*, Barcelona: Proa.

Zolo, D. (1997): *Cosmopolis: prospect for world government*, Cambridge: Polity Press.

PARTE IV

PLURALISMO, DEMOCRACIA Y TEORÍA POLÍTICA

CAPÍTULO 7

LEGITIMIDAD DEMOCRÁTICA Y PLURALISMO NACIONAL

FERRAN REQUEJO

> En las teorías políticas y filosóficas, al igual que en las personas, el éxito revela errores y grietas que el fracaso habría ocultado a la observación.
>
> (John Stuart Mill, *Sobre la libertad*, 1859)

En este capítulo final, de contenido eminentemente teórico y filosófico, presentaré algunas cuestiones clave de la legitimidad democrática en sociedades plurinacionales. La primera sección incluye dos aspectos de la legitimidad política relacionados con los componentes lingüísticos del pluralismo normativo: la ausencia de una única teoría o concepción de la legitimidad democrática, y la relación existente entre los distintos lenguajes legitimadores y la construcción de las identidades individuales y colectivas. La segunda y tercera sección analizan, respectivamente, los dos principales enfoques actuales sobre el liberalismo democrático en contextos de pluralismo nacional, y la revisión del universalismo y del particularismo normativos en dichos contextos. Finalmente, a partir de lo establecido en las tres secciones anteriores, la cuarta sección muestra una revisión de algunos elementos de la filosofía kantiana como una vía de renovación de las posibilidades legitimadoras del liberalismo político en democracias plurinacionales.[1]

1. El autor desea agradecer a Klaus-Jürgen Nagel, Sven Wynants, a los demás miembros del *Grup de Recerca de Teoria Política* de la Universitat Pompeu Fabra (Barcelona), a los miembros del departamento de ciencia política de la *Mc Gill University* (Quebec, Canadá), y a las participantes en el *workshop* de la *Joint Sessions* del *European Consortium for Political Research*, Grenoble, 2001, sus comentarios a versiones previas de este capítulo.

1. Legitimidad democrática y pluralismo normativo

Es difícil no percibir el carácter cada vez más complejo y plural de las nociones de «pluralismo» y «progreso» en las democracias liberales de principios del siglo XXI. En el campo de la legitimidad democrática, hay un creciente número de valores y criterios que no pueden ser plenamente armonizados en un conjunto coherente. La propia noción de *progreso* ya no puede reducirse a ninguna de las ideologías que, tan sólo unas décadas atrás, reclamaban tener casi su monopolio. Este incremento de la complejidad del pluralismo y de la noción de progreso tiene consecuencias tanto prácticas como teóricas para las democracias.

En el campo práctico, los decisores políticos se encuentran enfrentados, ahora más que nunca, a una pluralidad de criterios a menudo contradictorios entre sí —tanto de naturaleza técnica como moral—, así como con una serie de ámbitos heterogéneos de aplicación de políticas que no son equiparables entre ellos. Estos decisores también se encuentran ante un contexto cambiante de grupos y actores sociales involucrados en esas políticas, con percepciones discordantes sobre lo que debería llevarse a cabo, con unos ciudadanos crecientemente informados y que se sienten vinculados a colectividades diferenciadas de carácter histórico, político o cultural.

Por otro lado, la teoría política actual ha enfatizado dos aspectos de la legitimidad democrática: *a*) la convicción de que no hay ninguna teoría política —incluido el liberalismo— que pueda atribuirse en exclusiva dicha legitimidad, y *b*) el reconocimiento de la relación existente entre diferentes tipos de lenguajes políticos y la construcción de las identidades individuales y colectivas.[2]

Se trata de dos aspectos que inciden en la práctica democrática, y que encuentran su punto de referencia epistemológico en el *giro lingüístico* de la filosofía contemporánea, y más específicamente, en la pragmática lingüística inaugurada con las *Philosophische Untersuchungen* (1951) de Wittgenstein. En términos generales, la filosofía del lenguaje de las primeras tres décadas del siglo XX insistió en que pensar la racionalidad significaba, en buena parte, pensar el lenguaje. En contraste con los periodos anteriores de la «filosofía de la consciencia», ahora se mantiene que no hay «esencias» por descubrir, sino «objetivaciones» lingüísticas de la experiencia. En un segundo momento, en particular desde la revisión que hace Wittgenstein de su obra anterior (*Tractatus*), el giro lingüístico de la racionalidad nos ofrece un nuevo *giro pragmático*: el concepto de *forma lógica* del lenguaje —que nunca aprehendemos— cede el paso a las «reglas» de

---

2.   Esta relación parece ser independiente del hecho de que dichos lenguajes mantengan en su interior conceptos con una vocación legitimadora más universal o más particular. El término «identidades» se refiere aquí tanto a las características que singularizan a un individuo o a un grupo en relación con otros individuos o grupos, como a las características de autorreferencia (narratividades) establecidas por ambos tipos de entidades.

los *juegos lingüísticos*, un conjunto diferenciado de usos y formas de vida con los cuales los individuos, «nos abrimos al mundo».[3]

Es este periodo más tardío de la filosofía del lenguaje el que es de especial relevancia para la esfera política. Epistemológicamente, el énfasis recae ahora en la contextualización y en el pluralismo cognitivo. Se diluye, así, la idea de una única racionalidad fundamentadora, sea científica o de otro tipo. Puede decirse que la pluralidad y la contextualización estallan en el interior mismo del discurso de las disciplinas científicas: ni hay un único lenguaje, ni los lenguajes que hay tienen una misma «forma lógica». Obviamente, contextualizar las diferentes aproximaciones teóricas, así como subrayar su pluralidad, no supone admitir un relativismo epistemológico o moral de carácter «posmoderno», sino que más bien cuestiona la pretensión de ciertas concepciones democráticas contemporáneas de que hay una «única fundamentación» teórica.

a) El primer aspecto mencionado, la ausencia de una única teoría de la legitimidad democrática, nos sitúa en el contexto de la pluralidad normativa. Se trata de una cuestión que ha sido analizada, entre otros, por los estudios históricos y lingüísticos de Q. Skinner y J. Pocock. El lenguaje estructura aquello que deseamos enfatizar a partir de unas reglas situadas más allá de la voluntad de los interlocutores (Skinner, 1991, 1988; Pocock, 1984, 1985). Entender una teoría política implica entender las cuestiones clave que destaca y los *actos de habla* que utiliza en un contexto determinado (Searle, 1995). Aquí, los lenguajes políticos legitimadores son entendidos más como contexto que como texto. De esta manera, cada una de las grandes tradiciones de la teoría política —liberalismo, socialismo, republicanismo, conservadurismo, pluralismo cultural— destacan distintas cuestiones del ámbito político, utilizan toda una serie de utillajes conceptuales y analíticos específicos que construyen una determinada *narratividad* sobre las relaciones políticas, y al mismo tiempo, proponen determinadas actitudes o soluciones con la finalidad de dar respuesta a aquellas cuestiones que cada teoría ha seleccionado como más importantes en la esfera pública: la libertad individual, la igualdad jurídica y la limitación del poder; la igualdad social y la crítica al capitalismo; el desarrollo de la virtud cívica y la vinculación a la comunidad política; la estabilidad y la cohesión social; o el reconocimiento y la promoción de unas identidades diferenciadas consideradas como prioritarias por los individuos de un grupo determinado.

Cada una de estas tradiciones políticas resulta informativa —ya sea en un plano más analítico o en un plano más normativo—, en relación con

---

3. Véase una «muestra» —en el sentido estadístico del término— del giro pragmático representado por Wittgenstein en la comparación de los siguientes pasajes (T: *Tractatus*, PU: *Philosophische Untersuchungen*): T 4.021, 4.022, 4.023 - PU 23, 24, 291, 610 ; T 4.024 - PU 199, XI2p; T 4.03 - PU 105, 107, 116; T 5.5563 - PU 97, 102; T 6.412, 6.13 - PU 77; T 651 - PU 84, 85, 87; T 6.53, 6.54, 7 - PU 109, 122, 123, 125, 128, 133, 309.

las preguntas que suscitan y con sus conceptos «nucleares» respectivos; pero al mismo tiempo, cada una de ellas dibuja un *velo de silencio* sobre buena parte de las áreas enfatizadas por las otras tradiciones. No es posible establecer una distinción clara entre el pensamiento político y el lenguaje en el que éste se expresa (Pitkin, 1972). Así, hoy no hay ninguna teoría de la democracia que pueda reivindicarse como una versión exclusiva y exhaustiva de la legitimidad de esta forma de gobierno. Más bien nos encontramos ante teorías parciales que, por un lado, subrayan y a veces fundamentan aspectos específicos de la legitimidad democrática; pero que, por otro lado, marginan o incluso esconden otros aspectos de esa legitimidad cuando resultan ajenos a las «reglas» (Wittgenstein) de su narratividad.

b)   El segundo aspecto mencionado, la interrelación entre narratividad e identidad, ha sido también enfatizado en años recientes por escritores tan dispares como R. Rorty (1989), M. Walzer (1987), Ch. Taylor (1989), o incluso, H. Arendt (1993). El punto central es el del papel de las creencias y de los valores en la construcción de las identidades modernas, a través de una concepción narrativa de la identidad situada más allá de las concepciones abstractas e individualistas, de carácter más formal, que son habituales en las concepciones estándar del liberalismo democrático (representadas actualmente, por ejemplo, por J. Rawls y J. Habermas).[4] Esta interrelación concierne tanto a las identidades particulares que nos definen y que en buena parte no escogemos, como a los modos distintos de teorizar dichas identidades ofrecidos en la modernidad.

La narratividad constituye un rasgo inevitable e imprescindible de la vida humana. Se trata de un rasgo que, en el ámbito normativo, destaca la conveniencia de acomodar la dimensión «ética» de la racionalidad práctica en el interior de las normas «morales» de las democracias.[5] De este modo, el mismo sentido del progreso (o de la emancipación) estará relacionado con las narraciones teóricas construidas a través de la interrelación con los demás, los cuales siempre se ubican también en grupos humanos específicos aun cuando pretenden establecer reglas morales para todos. La narratividad teórica y, sobre todo, la experiencia práctica, constituyen el modo de construir los marcos referenciales desde los que nos orientamos moralmente en un mundo crecientemente interrelacionado. Se trata de unos marcos siempre inacabados y que revelan su particular

---

4.   Un análisis de las deficiencias de las concepciones ofrecidas por Rawls y Habermas cuando se confrontan con sistemas políticos plurinacionales puede encontrarse en Requejo, 2000; 1998*a*.

5.   La dimensión *ética* de la racionalidad práctica —asociada a los contextos de las sociedades particulares y en las que juega un papel clave la narrativa específica de las culturas nacionales y la voluntad de continuidad del colectivo— ha estado generalmente marginada por las concepciones del liberalismo democrático en favor de las dimensiones *pragmática* (instrumental) y *moral* (más independiente del contexto) de esta racionalidad.

carácter histórico, dinámico y contextual, por mucho que su lenguaje pueda estar lleno de términos que aspiran a ser semánticamente más definitivos o «universales». De hecho, la revisión teórica y el reformismo práctico forman una parte, como entendió perfectamente Protágoras, del carácter siempre moralmente perfectible de la democracia.

A principios del siglo XXI, la importancia analítica de los dos aspectos de la legitimidad democrática que acabamos de esbozar radica en su relevancia en el momento de evaluar tanto las diferentes teorías de la legitimidad política, como sus resultados prácticos en el plano institucional o constitucional. Sabemos que la tradición política liberal ha sido la tradición hegemónica en el proceso de construcción de las democracias liberales. Pero también sabemos que estas democracias son «productos» históricos que, en la práctica, han sido construidas y pensadas desde esa forma particular de organización política que son los estados modernos. Tal como he dicho en otras ocasiones, las teorías modernas de la democracia son, fundamentalmente, teorías del *estado* democrático. Y hoy también sabemos que el *estatalismo* inherente a dichas teorías es una característica que difícilmente puede ser «neutral» en relación al pluralismo de raíz cultural y nacional en la concreción institucional de las democracias. Es esta característica estatalista de las teorías liberal-democráticas la que examinamos en la siguiente sección.

2. Teorías liberal-democráticas y pluralismo nacional

Uno de los puntos centrales en las actuales revisiones del liberalismo democrático en contextos plurinacionales, como Bélgica, Canadá, el Reino Unido o España, está basada en las consecuencias prácticas que ha comportado el nacionalismo asociado al estatalismo de las democracias empíricas. Aquí nos encontramos a menudo ante un agudo contraste entre lo que la teoría liberal dice y lo que la práctica liberal hace. De hecho, *en la práctica*, todas las democracias liberales han sido nacionalistas. Sin embargo, en algunas de las concepciones *teóricas* liberal-democráticas de mayor influencia, la relación entre el liberalismo democrático y el nacionalismo ha sido presentada como la relación entre dos posiciones irreconciliables. La principal razón esgrimida es que se trataría de dos posiciones políticas generales basadas en valores, conceptos y lógicas internas contrapuestas: cualquier intento de reconciliar ambas perspectivas estaría condenado al fracaso. Pero éste es un planteamiento que resulta ser cada vez más obsoleto, especialmente en los actuales contextos presididos por la globalización y el pluralismo cultural y nacional. Hoy, el debate ya no se desarrolla entre el *liberalismo democrático*, por un lado, y el *nacionalismo*, por otro lado, sino entre dos maneras básicas de entender el liberalismo democrático y el nacionalismo, o si se prefiere, entre dos variantes del liberalismo democrático cuando se enfrenta a la globalización y al pluralismo nacional y cultural.[6] Una cuestión especialmente relevante en el caso de democracias plurinacionales.

En relación con «la cuestión nacional», la primera variante del liberalismo democrático defiende un concepto basado, fundamentalmente, en unos derechos individuales de carácter «universal», en una idea «no discriminadora» de igualdad para todos los ciudadanos, y en una serie de mecanismos procedimentales que regulan las principales instituciones y los procesos de toma de decisiones colectivas. Se trata de un tipo de liberalismo político que desconfía de la noción de *derechos colectivos* (de las naciones minoritarias o de otros colectivos) en los que sospecha riesgos autoritarios (es la variante denominada habitualmente *liberalismo 1*). La segunda variante del liberalismo democrático añade a estos elementos la protección y desarrollo, en las esferas pública y constitucional, de determinadas características o «diferencias» de las diversas colectividades nacionales que viven en el interior de la misma democracia. Los defensores de esta variante sostienen que, en el caso de democracias plurinacionales, en ausencia de una regulación explícita de las dimensiones colectivas a través del reconocimiento del pluralismo nacional, la regulación práctica de los derechos individuales comporta siempre un sesgo discriminatorio en contra de las naciones minoritarias y a favor de la nación mayoritaria. Este hecho supone una violación del principio de igualdad. Obviamente, los posibles conflictos que pueden surgir entre valores y derechos de naturaleza colectiva y aquellos de tipo individual —una distinción a menudo borrosa— deberán ser resueltos a través de mecanismos institucionales similares a aquellos que resuelven los conflictos surgidos entre los mismos derechos individuales. De acuerdo con esta posición, la primera variante del liberalismo democrático suministra incentivos para presentar las características culturales y nacionales particulares de la mayoría (lengua, historia, tradiciones, etc.) como una realidad «común» en la esfera pública de la *polity* (colectividad política) para todos los ciudadanos, lo cual está en contra de los valores legitimadores liberales al asimilar la igualdad a la identidad, y no al respeto y reconocimiento de las diferencias y a la protección de las minorías *(liberalismo 2)*.[7]

Una de las cuestiones destacadas en el debate normativo e institucional entre estas dos versiones del liberalismo democrático, ha sido la de la *acomodación constitucional* de los diferentes colectivos nacionales que vi-

---

6.   Para la relación entre liberalismo democrático y nacionalismo, véase McKim-McMahan 1997, Caney-George-Jones, 1996; Canovan, 1996; Norman, 1996; Miller, 1995; Smith, 1995; Yack, 1995; Tamir, 1993; Nodia, 1992; Requejo, 2001a, 2001b, 1999c. Véanse también las diferentes etapas de esta discusión sobre los derechos de minorías en la contribución de Kymlicka en este volumen.

7.   Mantengo aquí los términos liberalismo 1 y 2, siguiendo la conocida expresión formulada por Ch. Taylor y M. Walzer. Es ciertamente significativo que en *polities* plurinacionales como Canadá, el Reino Unido o España, los seguidores del liberalismo 1 se encuentren la mayoría en Otawa, Toronto, Londres o Madrid, mientras que los seguidores del liberalismo 2 se encuentren preferentemente en ciudades como Montreal, Edimburgo o Barcelona.

ven en el interior de una misma *polity* democrática.[8] Es en esta cuestión donde los partidarios del *liberalismo 2*, entre los que me incluyo, han tendido a enfatizar más el hecho de que el lenguaje «universal» en favor de los derechos individuales de los ciudadanos, y de la igualdad como no-discriminación, usados por los defensores del *liberalismo 1*, en la práctica han comportado la marginación de aquellas características nacionales que no son coincidentes con las de los grupos nacionales mayoritarios o hegemónicos en el interior de la comunidad política democrática. Para las naciones minoritarias, el precio a pagar por la igualdad de ciudadanía ha sido a menudo una situación de desigualdad en términos de personalidad lingüística y cultural en la esfera pública. En otras palabras, la ciudadanía «común» no sale al mismo precio cultural para cada uno de los grupos nacionales que se encuentran en el interior de esa democracia plurinacional. Según este enfoque, los derechos, instituciones y reglas procedimentales incluidas en la *moral de mínimos* a que aspira el liberalismo 1 ha implicado, de hecho, la aceptación en la práctica de toda una serie de derechos y valores *colectivos* y *particulares* de los grupos hegemónicos. Y, ciertamente, ello está alejado de la pretendida *neutralidad cultural* y del lenguaje *universal* legitimador habitualmente utilizados por los partidarios de la primera versión del liberalismo democrático.

Si una de las críticas tradicionales formuladas en general contra el liberalismo político —tanto desde posiciones conservadoras como socialistas— fue la del contraste entre las ideas descritas por la teoría liberal y lo que de hecho era llevado a cabo por los sistemas políticos que se llamaban a sí mismos «liberales», hoy, dicha crítica se ha ampliado desde los componentes *sociales* o *socioeconómicos* a los componentes *culturales* de las democracias liberales. En términos más filosóficos podríamos decir que la narrativa establecida por el liberalismo 1 no comprende suficientemente lo que implica, en el ámbito político, el *giro lingüístico y pragmático* mencionado en la sección anterior. Una cuestión que daña aspectos importantes del proyecto emancipativo del liberalismo 1.

Por otro lado, lo que el liberalismo 2 demanda en contextos plurinacionales, a través de una acomodación efectiva de las diferentes realidades nacionales que viven juntas en una misma democracia, es, precisamente, que puedan realizarse más claramente en la práctica los valores de libertad, igualdad, pluralismo y dignidad individual que conforman el núcleo clásico del proyecto emancipativo liberal. Esto es, con tal de mejorar las

---

8. Esta acomodación incluye dos dimensiones básicas de ia pluralidad nacional del Estado: el reconocimiento explícito de su pluralidad nacional, también en el nivel constitucional, y las reglas que regulan el autogobierno de las naciones minoritarias. Véase Tully, 1994. Para una discusión más amplia del multiculturalismo y la democracia liberal, véase también Kymlicka-Norman, 2000; Requejo, 1999*a*; Williams, 1995; Kymlicka, 1995; Spinner, 1994; Raz, 1994; Parekh, 1993. Para un análisis panorámico del concepto de ciudadanía en el ámbito de la teoría política, véase Norman-Kymlicka, 1994. También Wilmsen-McAllister, 1996; Elósegui, 1998; Avnon-de Shalit, 1999; Cordell, 1999. En relación con las cuestiones constitucionales relacionadas con la plurinacionalidad, véase, en este mismo volumen, la discusión de W. Norman sobre la conveniencia de introducir el derecho a la secesión política en las constituciones democráticas, así como el análisis de E. Fossas sobre la igualdad en estados plurinacionales.

democracias plurinacionales, tanto en sentido *ético* como *moral,* e incluso *instrumental,* en la regulación práctica e institucional de estos valores abstractos deberían incluirse derechos, instituciones, capacidades de autogobierno y, en su caso, cláusulas procedimentales sobre la secesión que permitieran el desarrollo «cómodo» de las diferentes identidades nacionales que crean parcialmente la individualidad de los ciudadanos. Ésta es una cuestión que es a menudo ocultada por la concepción uniformizadora de la esfera pública nacional asumida por el liberalismo 1, a través de conceptos culturalmente homogeneizadores, tales como la soberanía nacional, la soberanía popular (de un *demos* único) o la igualdad *(idéntica)* de ciudadanía.

Creo que el paso del liberalismo 1 al liberalismo 2 supone, así, una ampliación del pluralismo con el fin de incluir ciertas dimensiones culturales que, hasta la fecha, han sido menospreciadas o marginadas en el concepto de pluralismo por parte de las teorías liberales y democráticas tradicionales. Se trata de una ampliación que, de hecho, viene facilitada por el mismo lenguaje «universalista» usado por la narrativa de la tradición liberal-democrática. El objetivo es ampliar y pluralizar el contenido semántico de ciertas nociones liberales, particularmente la igualdad y la libertad, y al mismo tiempo rehuir las limitaciones y los sesgos de sus concreciones prácticas y constitucionales vinculados al estatalismo y al nacionalismo prácticos de las democracias liberales. En otras (y más posmodernas) palabras, mientras el liberalismo 1 recoge bien el primero de los dos aspectos de la legitimidad mencionados en la sección anterior —la no existencia de monopolios teóricos en la legitimidad democrática—, el liberalismo 2 establece mejor el segundo aspecto —el carácter inevitablemente construido de cualquier identidad individual o colectiva— y, lo que es más importante, lo conecta con el aspecto anterior. En este sentido, podríamos decir que el liberalismo 1 tiende a moverse con más habilidad en el terreno de las reflexiones *semánticas,* no problematizando las relaciones de poder del contexto lingüístico donde se sitúan dichas reflexiones, mientras que el liberalismo 2 se sitúa en un ámbito más cercano a la *pragmática* lingüística, en la medida en que cuestiona dichas relaciones.

Desde este punto de vista, la mayoría de las reivindicaciones hechas por los nacionalismos democráticos minoritarios (p. ej., escoceses, quebequeses o catalanes) representan una profundización de los supuestos universales del liberalismo político, y particularmente, de los valores de igualdad, libertad y pluralismo.[9] La tarea clave consiste en comprender que en una democracia plurinacional coexisten un conjunto de esferas públicas de carácter nacional, como coexisten también diferentes procesos legítimos de *nation-building,*[10] que inevitablemente incorporan aspectos

---

9.   Véase los análisis de Keating y de Fossas incluidos en este libro para un enfoque similar de los actuales nacionalismos democráticos minoritarios.

10.   Ésta es una idea que afecta a la actual discusión sobre si el federalismo, o alguna de sus variantes, ofrece un marco adecuado para proceder a la acomodación práctica y constitucional de las *polities* plurinacionales en las que diversos procesos de construcción nacional comparten la misma arena.

competitivos. En este sentido, la regulación política y constitucional de este tipo específico de pluralismo, el pluralismo nacional, se convierte en una cuestión pendiente de acomodación para la legitimidad liberal-democrática (y federal) de principios del siglo XXI.[11]

En definitiva, el establecimiento de una *política de reconocimiento* en la esfera de la política de las diferencias nacionales presupone una versión más precisa, más fina, de una forma de universalismo que sea capaz de ejercer un rol más abierto y crítico en relación a las realidades existentes.[12] Es en este sentido que creo en la importancia de un universalismo que no sea entendido como una conquista cerrada, como algo logrado desde unos valores interpretados desde una narratividad única, sino más bien como una perspectiva nunca terminada, que permite combatir las «patologías» que a veces acompañan a diversos tipos de nacionalismo (estatales y no estatales), y a otras peculiaridades normalmente ficticias como el cosmopolitismo o los «patriotismos constitucionales» asociados al liberalismo tradicional. En realidad, siempre razonamos desde unas herencias culturales que poseen tanto rasgos particulares como universales, y que van conformando unas identidades individuales que, en gran parte, nos vienen dadas. Adoptar una posición verdaderamente «cosmopolita» en un contexto plurinacional significa hacer que las posturas ética y moral que adoptamos sean cada vez más generales. Y significa también hacerlo no a partir de la «tolerancia», sino del *respeto* por la *pluralidad de marcos hermenéuticos nacionales* de referencia. En las secciones siguientes, ofrezco una revisión del rol legitimador del universalismo y del particularismo en *polities* plurinacionales liberal-democráticas, y una revisión la filosofía kantiana como fuente para establecer una fundamentación de la legitimidad política en dichas *polities*.

3. Universalismo y particularismo en las democracias plurinacionales

En términos generales, es posible afirmar que la cuestión de la interculturalidad o del pluralismo cultural ha supuesto una nueva agenda de temas en el debate democrático. Este debate no está ya limitado al lengua-

---

Véase Requejo, 2001*b*, 1998*b*; Gibbins-Laforest, 1998; McRoberts, 1997. Para una más amplia perspectiva del debate que rodea al federalismo asimétrico y sus posibilidades políticas y constitucionales en el interior de estados plurinacionales, véase Fossas-Requejo, 1999.

11.   En otros lugares he propuesto el modelo que he llamado *federalismo plural* como apropiado para acomodar el pluralismo nacional. Tres tipos de regulaciones están incluidas en este modelo: i) Un reconocimiento constitucional explícito de la plurinacionalidad de la federación; ii) una regulación asimétrica o confederal de los poderes claves para el autogobierno de las naciones minoritarias; iii) una regulación más simétrica del «gobierno compartido» y del resto de poderes. Véase Requejo, 2001*a*, 1999*b*.

12.   Para un análisis de la influencia de la globalización sobre las democracias véase Resnick, 1997; Axtmann, 1996; Archibugi-Held, 1995.

je de los derechos individuales y a la interpretación de las nociones de libertad, igualdad, dignidad y pluralismo que ha desarrollado el liberalismo político tradicional. Veamos, en primer lugar, algunos de los sesgos culturales que muestra el liberalismo 1, mencionados anteriormente, que han condicionado tanto la concreción de los valores liberal-democráticos como las regulaciones constitucionales prácticas en las democracias plurinacionales:

1) La ausencia de una teoría del *demos* en las teorías de la democracia, o la ausencia de una teoría de la demarcación (fronteras) en el liberalismo político clásico. Estas cuestiones no han sido nunca resueltas en términos de legitimidad política por las distintas teorías del liberalismo democrático. En las democracias plurinacionales el reto a resolver es: «una *polity*, varios *demoi*». Ello conlleva la necesad de proceder a una revisión de las versiones homogeneizadoras de nociones legitimadoras como, por ejemplo, la «ciudadanía democrática» o la «soberanía nacional o popular».

2) La marginación o, incluso, la inexistencia de la dimensión más propiamente «ética» y contextual de la racionalidad práctica en las teorías de la legitimidad democrática, en contraste con el ya mencionado lugar que ocupan las dimensiones «instrumental» y «moral» de esta racionalidad en las distintas versiones del liberalismo político (utilitaristas, kantianas o perfeccionistas). Las instituciones políticas de las democracias no han sido culturalmente neutras, sino que han actuado a favor de las identidades y marcos culturales de las mayorías nacionales o hegemónicas. Una conclusión mínima es que, desde premisas liberales y democráticas, se ha tendido a aceptar y a defender una forma implícita de comunitarismo estatal, de naturaleza «nacional».

3) La consideración casi exclusiva de la *justicia* en la esfera pública desde la perspectiva del *paradigma de la igualdad* (igualdad *versus* desigualdad), en detrimento del *paradigma de la diferencia* (igualdad *versus* diferencia). La yuxtaposición de estos dos paradigmas resulta fundamental en el contexto del pluralismo cultural y nacional. (Repercusión en los distintos modelos institucionales y de políticas públicas, tales como los modelos de asimilación cultural, de integración política o de acomodación político-cultural.)

4) La existencia de procesos de *nation-building* en todas las democracias liberales. Se trata de procesos basados en la aplicación de un lenguaje universalista, de carácter legitimador, sobre un grupo particular, la *polity*, presentado en términos uniformes en la defensa de un grupo de valores y bienes liberales y comunitarios. Unos procesos que niegan o minorizan los procesos paralelos que puedan llevar a cabo los grupos nacionales minoritarios dentro de la misma *polity*.

La consideración de estos sesgos implica, en el caso de *polities* plurinacionales, una revisión del rol del universalismo normativo en la legitimación liberal-democrática, así como de su relación con valores de naturaleza más particular. Un refinamiento normativo e institucional de las democracias liberales significa ver el pluralismo nacional como un valor que vale la pena proteger y no sólo como un hecho inconveniente que debe ser sobrellevado del modo más estoico posible. Todas las democracias liberales han defendido y continúan defendiendo, en la práctica, particularismos culturales de naturaleza lingüística, histórica, etc.[13]

Esto significa que ya no es pertinente considerar como mutuamente excluyente el contraste entre una forma de universalismo basado en componentes igualitarios de la «dignidad» humana y una forma de particularismo basado en los elementos culturales que los individuos adquieren a través de procesos de socialización. En una sociedad plural, los valores universalistas forman parte de las identidades de los individuos particulares. Y, en paralelo, los valores culturales particulares influyen, igualmente, en el mismo concepto de dignidad individual (y de autoestima). Por tanto, las críticas a menudo acertadas que el universalismo liberal ha dirigido regularmente a las posiciones particularistas, en tanto que suelen decantarse hacia el conservadurismo y hacia una falta de referencias claras en la toma de decisiones, deben ser complementadas con las no menos acertadas críticas del particularismo de raíz cultural dirigidas al universalismo tradicional: falta de realismo en relación con los vínculos normativos particularistas que los individuos mantienen con los grupos y colectivos en los que se ubican y, sobre todo, reconocimiento de la inevitabilidad práctica de defender un conjunto de particularidades culturales específicas en nombre de este pretendido universalismo desde las instituciones democráticas.[14]

Por otra parte, las normatividades universalistas y particularistas de carácter legitimador en las democracias debe distinguirse de dos formas distintas de aplicar estos dos tipos de normatividad legitimadora.[15] Se trata de la distinción entre *una manera imparcial* de poner en práctica tanto una normatividad universalista como una normatividad particularista, basada en una implementación uniforme de las normas y criterios para todos los individuos y grupos de la democracia; y *una manera parcial* de llevar a cabo dicha implementación, dirigiéndola preferentemente hacia personas y grupos específicos. Este último tipo de implementación puede observarse en políticas de discriminación positiva o «affirmative action» dirigidas a diferentes grupos sociales de acuerdo con su género, clase social, lengua, etc. Este segundo tipo de implementación puede ser o de naturaleza *transitoria* para lograr una *igualdad* con el resto del colectivo, o de naturaleza *permanente* para proteger y desarrollar las *diferencias* culturales del grupo minoritario en relación con la mayoría del colectivo. En el proceso de legitimación

---

13. Puede verse, por ejemplo, una crítica de la legitimación colonial e imperialista en los escritos de Locke y Stuart Mill, en Parekh, 1995.

14. Véase el debate entre lo que podríamos calificar como «interculturalismo liberal» (B. Parekh) y el «liberalismo intercultural» (W. Kymlicka) en *Constellations*, 4, 1 de abril de 1997.

15. Véase Nagel, 1996; Miller, 1995, cap. 3; Stocker, 1992 y Parfit, 1984, III.

democrática, ni la universalidad coincide con la imparcialidad, ni el particularismo con la parcialidad. Así, es posible establecer la existencia de cuatro posibles combinaciones entre estos dos pares de conceptos. Estas combinaciones clarifican la existencia de relaciones entre las diferentes versiones del liberalismo político.

La autonomía moral no puede ser separada de la identidad empírica del individuo, en la cual, los componentes nacionales habitualmente ejercen un rol importante frente a otras componentes de la individualidad. Las democracias plurinacionales presentan formas plurales de identidad nacional. Así, en casos de *polities* democráticas como Bélgica, Canadá, el Reino Unido o España, la perspectiva del liberalismo 1, que filtra aquellos particularismos culturales que son incompatibles con el universalismo «transcultural» de «lealtad a la humanidad» (Rorty, 1997; Gray, 2001), debe ser complementada con la perspectiva del liberalismo 2, capaz de *desparticularizar* los sesgos nacional-estatales que los grupos culturales hegemónicos imponen sobre todos los ciudadanos de la *polity*.

Esta revisión sobre la legitimidad democrática en contextos plurinacionales tiene consecuencias para la filosofía política. Dado que no sólo la «moralidad» sino también las *eticidades* son relevantes para la legitimidad política, podemos decir que esto favorece la flexibilización de la perspectiva kantiana, tal como ha sido usualmente interpretada, hacia una actitud más humeana o hegeliana.[16] Sin embargo, creo que la obra de Kant ofrece interpretaciones más sensibles al pluralismo nacional, sobre todo cuando uno cuestiona el estatalismo implícito de las versiones «constructivistas» y «reconstructivistas» del kantismo contemporáneo.[17]

4. Legitimidad democrática y pluralismo nacional. Una aproximación kantiana

En un trabajo anterior consideré las deficiencias de las teorías de Rawls y Habermas en el momento de establecer una fundamentación liberal-democrática en el caso de *polities* plurinacionales (Requejo, 2000, 1998*a*). Estas deficiencias están relacionadas con las limitaciones de las tradiciones intelectuales en las que se ubican ambas teorías. Ambas presentan una perspectiva estatalista que selecciona y empobrece los tipos de pluralismo considerados. El contractualismo de estas teorías no cuestiona quiénes deben ser los sujetos del contrato. Establecen un número de «puntos de vista morales» que están implícitamente cargados de una *eticidad* estatal que resulta injustificable desde las premisas «liberal-democráticas» de las que parten esas mismas teorías.

---

16. La vindicación humana de la moralidad versus la universalidad del kantismo ha sido señalada por Williams, 1985. Véase también Tamir, 1993, cap. 5. Un resumen de las relaciones entre universitario e imparcialidad en Requejo, 1999*b*, tabla, p. 311.

17. Mc Carthy, 1994. Véase también Klosko, 1997

Una posible ruta alternativa consiste en establecer una forma de liberalismo que sea sensible al pluralismo nacional a partir de la recuperación del vínculo entre libertad y racionalidad desarrollado en la aproximación crítica kantiana. Aunque pueda parecer paradójico, es posible afirmar que a pesar de las referencias de Rawls y Habermas a la obra de Kant,[18] este último proporciona una ruta alternativa a los límites que muestran las concepciones de los primeros, si interpretamos la aproximación kantiana en términos más hegelianos de lo que suele ser habitual.[19] Esto es posible en relación no sólo con los «escritos históricos» del último periodo kantiano, sino también en relación con la noción de idea regulativa, desarrollada en la *Dialéctica Trascendental* de la primera crítica, y de la libertad como un postulado de la razón práctica, desarrollada en la segunda crítica y en la *Fundamentación*.[20]

A mi modo de ver, no ha sido suficientemente explorado el potencial que representan las ideas de la razón teórica en el momento de regular una concepción de la «dignidad» humana que incluya la perspectiva teórica de las «diferencias» de identidad. Mi propuesta consiste en considerar el reconocimiento de la dignidad individual y de las diferencias de identidad nacionales, en tanto componentes de la dignidad, como *ideas* de la *razón* kantiana. El potencial de ambos conceptos para las democracias plurinacionales puede visualizarse en dos pasos. El primer paso consiste en recordar que los problemas planteados por la razón kantiana no pueden

18. Habermas se ha referido a su posición como «republicanismo kantiano» (Habermas, 1996*b*).

19. Hegel describió el estado como «la eficacia de la idea ética» («Wirklichkeit der sittlichen Idee», 1257 RPh). Los tres componentes de la definición hacen referencia a las nociones de un instrumento efectivo (*werken*) para desarrollar un concepto (*idee*) de un modo adecuado y relacionado con las costumbres públicas (*sittlichen*). Ésta es una definición «técnica» dentro de la obra de Hegel que puede «traducirse» considerando el Estado como aquella institución que permite la expresión práctica de la racionalidad en las relaciones humanas. El hombre/mujer aislado de las concepciones contractualistas es una abstracción inexistente. En el mundo real, los humanos son siempre miembros de una sociedad particular. Aquellas sociedades (civiles) que los dejaran a merced de sus inclinaciones «egoístas» producirían la disolución de la *eticidad* misma. Es el Estado el que permite la reconciliación entre subjetividad y generalidad. Desde esta perspectiva, una forma de racionalidad práctica que dispusiera de sólo unas pocas estructuras constitucionales devendría, igualmente, un Estado con menos libertad. La complejidad de las tres dimensiones de la racionalidad práctica, cuya implementación demanda la existencia del Estado, comporta que dicha racionalidad no sea nunca realizada del todo. Sin embargo, el refinamiento o el «progreso» normativo de los estados democráticos hacia una mayor optimización de las tres dimensiones de la racionalidad, implica la necesidad de articular las *eticidades* plurales que coexisten en él y que han sido tradicionalmente marginadas. La incorporación de las normatividades «éticas» particulares en la regulación de una política del reconocimiento representa un paso adelante en el refinamiento de las reglas «morales» de los estados constitucionales liberal-democráticos.

20. Las *ideas de razón* de la primera crítica (KRV) *muestran* (Wittgenstein*)* o *saben* (Kant), aunque no pueden *decir* o *conocer*, el ideal de encontrar leyes y principios gnoseológicos cada vez más generales. El lenguaje, en su relación con el conocimiento, nos indica que si bien la aplicación de las categorías del *Entendimiento* más allá de la experiencia resulta epistemológicamente ilegítima, la *Razón*, que no actúa en el mismo nivel del conocimiento «científico» del Entendimiento, nos impulsa constantemente a encontrar lo más general o incondicionado. Además, las proposiciones de la razón práctica (entre ellas, la libertad) desarrolladas en la segunda crítica (KPV) son exigencias necesarias, aunque indemostrables, de la moralidad. Se trata de una única razón con dos usos basados cada uno en sus propios intereses (KRVB 715, B 826). «La razón humana —afirma Kant— tiene el destino singular, en uno de sus campos de conocimiento, de hallarse acosada por cuestiones que no puede rechazar por ser planteadas por la misma naturaleza de la razón, pero a las que tampoco puede responder por sobrepasar todas sus facultades (KRV, Prólogo a la primera edición, AVII).

ser resueltos inequívocamente (creación de antinomias, paralogismos), pero tampoco pueden ser rechazados (KRV, AV11).[21] Las ideas de razón no son problemas «inventados», sino el cauce de cuestiones que no podemos responder con seguridad pero que tampoco resulta «racional» abandonar en nombre de posiciones pretendidamente rigurosas. Dichas *ideas* no son conocimiento, ni pueden serlo (KRV, B395, nota de Kant; B826). No se miden con las *categorías* puesto que la *razón* (*Vernunft*) no constituye, sino que ordena (B 671), regula (B 672) y globaliza (B 814, B 730). Por lo tanto, a diferencia del *entendimiento* (*Verstand*) que se refiere a datos, la razón es discursiva (B 359).[22] Además, adelantándose a consideraciones de la filosofía romántica, Kant establece que la unicidad de la razón presupone la anterioridad del todo a las partes (KRV, B673). La *razón* no trabaja sólo «al anochecer», después del entendimiento, sino que lo precede, lo regula y lo dirige (B 708) a pesar de no estar referida a la objetividad como es el caso de la *sensibilidad* y del *entendimiento* que trabajan con datos empíricos. En contra de posiciones positivistas, entre entendimiento y razón hay más una serie de interrelaciones que una separación de ámbitos inconexos.[23]

Éste es un marco teórico que permite escapar de la tendencia que presenta la filosofía política liberal a aproximarse a la legitimidad democrática en términos de «entendimiento», así como a separar excesivamente los niveles descriptivo y normativo en lo que concierne a las prácticas institucionales democráticas. De este modo, la consideración del reconocimiento de la dignidad y de las diferencias nacionales de identidad facilita que la universalidad ceda el paso a una más prudente «generalidad», especialmente necesaria tanto en relación a la globalización como a la

---

21.   La metafísica, condenada desde actitudes positivistas, se entiende aquí en términos de disposición (KRV, AXI). (Las referencias provienen de *La crítica de la razón pura*. Citamos según la versión de P. Ribas, Alfaguara, Madrid, 1978). Véase el famoso pasaje kantiano sobre la distinción entre el «entendimiento» (conocimiento científico) como una isla y el «saber» (metafísica) como un océano que la rodea (KRV B295). He desarrollado este punto desde una perspectiva crítica en relación con el trabajo de Habermas, en Requejo, 1991, cap. 2.

22.   Críticos posteriores han señalado que la dimensión que parece desvanecerse en el planteamiento de Kant es la de la historicidad. La habitual falta de consideraciones históricas en las teorías liberales (liberalismo 1) se corresponde con la imagen imprecisa de la historicidad en la obra de Kant. Esto fue fuertemente criticado, por ejemplo, por la Escuela de Frankfurt (Horkheimer, Adorno). El contraste que existe en la obra de Kant entre la *universalización* de las costumbres y la *antropología* de estas mismas costumbres reduciría la importancia informativa de su concepción. Sin embargo, creo que la *dialéctica trascendental* kantiana es más fructífera en el ámbito político si es leída en el contexto de los propios escritos históricos de Kant, que son más cercanos a las actitudes de la ética *aristotélica* y al pragmatismo lingüístico de Wittgenstein, además de favorable al establecimiento de unos *criterios generales* que a unos *principios universales* en la esfera política. Esto a su vez favorece la discriminación entre diversas formas de muticulturalidad. Aquí no desarrollo este punto, véase Requejo, 1999*a*.

23.   Kant ataca la metafísica tradicional, pero no es un autor antimetafísico de corte positivista. En una línea muy aristotélica y wittgensteiniana afirma: «Es inútil la pretensión de fingir indiferencia frente a investigaciones cuyo objeto no puede ser indiferente a la naturaleza humana. Incluso esos supuestos indiferentistas, por mucho que se esfuercen en disfrazarse transformando el lenguaje de la escuela en habla popular, recaen inevitablemente, así que se ponen a pensar en algo, en las afirmaciones metafísicas frente a las cuales ostentan tanto desprecio» (KRV, A XI). Frente a las versiones críticas del positivismo posterior, la respuesta de Kant, la «venganza kantiana» podríamos decir, es la que podría resumirse haciendo decir a Kant: «precisamente porque *mostráis* que tenéis *razón* al criticarme, deberéis volver a mí».

multiculturalidad. La razón no es una habilidad cognitiva que pueda fundamentar lo universal, sino una habilidad del pensamiento que, a partir del conocimiento, de la moralidad de la eticidad de las sociedades concretas, permite establecer *reglas generales*. Así, por ejemplo, la generalidad no tiene que concretarse en los mismos derechos y reglas procedimentales si estamos en una sociedad uninacional o en una sociedad plurinacional. Las ideas de la razón kantiana «muestran» (Wittgenstein) el ideal de encontrar principios y leyes que sean cada vez más *generales* para el refinamiento de la perspectiva normativa de las democracias plurinacionales.

El segundo paso en la reformulación kantiana de las bases normativas de las democracias liberales en contextos plurinacionales supone observar que el razonamiento de Kant no regula objetos, sino la subjetividad. Y en esta subjetividad, la libertad política puede ser también comprendida como un proceso y un marco de desarrollo para las identidades éticas de los colectivos, de los *demoi* nacionales, cuya acomodación debe ser regulada constitucionalmente. La mediación política no se produce entre subjetividades y una universalidad abstracta, sino entre ésta y una serie de generalidades que son legitimadas tanto atendiendo a criterios y valores universales como a valores y criterios particulares. El concepto clave (o proposición) es la libertad. Algo que, en términos kantianos, resulta indemostrable, pero que constituye un supuesto de la misma moralidad. No somos sólo libertad, pero ésta expresa una de las disposiciones que nos constituyen como unos seres sumidos en una dualidad permanente: como *individuos* y como miembros de una colectividad de *personas*. Y aquí irrumpe el concepto de la *insociable sociabilidad* de los escritos históricos kantianos.[24]

Desde esta perspectiva resulta más fácil incluir la dimensión «ética», inherente en el pluralismo nacional, en las reglas e instituciones de la «justicia» de la tradición liberal. La incorporación de la *eticidad* en estas reglas e instituciones les proporciona una mayor reflexibilidad para regular derechos constitucionales individuales y colectivos, adaptándolos a contextos específicos.[25] En el caso de realidades plurinacionales, esto significa articular la libertad política de los diferentes *demoi* dentro de las reglas de las democracias liberales. En otras palabras, significa constitucionalizar un concepto de *libertad política compleja* que incluye perspectivas individuales y colectivas en las dimensiones ética y moral de la racionali-

24. Es interesante relacionar el concepto kantiano de *insociable sociabilidad* con las investigaciones recientes en genética y paleontología. No desarrollamos aquí esta cuestión. Véase Requejo, 2002.
25. En estados plurinacionales pueden observarse algunas de las consecuencias «éticas» de las «disposiciones originales» de la *insociable sociabilidad* humana. Esto se refleja en las actitudes de los políticos y en su uso del lenguaje. Los derechos constitucionales no finalizan en el entendimiento; deben también fundamentarse en las relaciones éticas y contextuales entre el entendimiento y la razón. Y ello señala, a mi modo de ver, la importancia del poder judicial en una democracia desarrollada ya que la interpretación sobre dichas relaciones variará según el caso empírico considerado. Algo que resulta cercano a las conclusiones de I. Berlin sobre el inevitable pluralismo de unos valores irreconciliables en las sociedades liberal-democráticas contemporáneas.

dad práctica.[26] Tal como hemos señalado con anterioridad, estas dimensiones pueden entrar en conflicto entre sí, del mismo modo en que lo hacen los derechos individuales. Obviamente, no es cuestión de ignorar estos conflictos, sino de institucionalizar los mecanismos constitucionales para resolverlos de modo parecido a como se establecen en el caso de colisión entre derechos individuales.

Si el *reconocimiento* de la dignidad y de las diferencias de identidad como *ideas* de la razón teórica favorecen la inserción de principios normativos generales más que universales, según el contexto, una forma *de libertad política compleja* como proposición para la razón práctica favorecerá una «mejor» articulación entre las dimensiones ética y moral en estas reglas. Así, una actitud teórica basada, por una parte, en la búsqueda del refinamiento de los principios generales y, otra parte, en la articulación de regulaciones éticas y morales en el seno de reglas constitucionales, nos sitúa ante la perspectiva de un constante reformismo dirigido a conseguir «mejores» regulaciones liberal-democráticas, es decir, unas regulaciones que resulten 1) más adaptadas a las transformaciones sociales, y 2) más sensibles a las características de las sociedades empíricas.

La democracia moderna estableció que el disenso no es incompatible con el progreso y la estabilidad de una colectividad política. Lo que tiene que hacerse ahora, desde la perspectiva de una política liberal de reconocimiento de la dignidad individual y de las identidades nacionales es, por un lado, pluralizar la misma noción de pluralismo respecto al reconocido por las primeras y más sencillas concepciones liberales de la democracia moderna. Por otro lado, debe romperse con el *monismo cultural y nacional* adoptado por los nacionalismos estatales en su concepción del *demos* democrático.[27] En contextos plurinacionales, el disenso es necesario para emancipar al individuo de identidades que le resultan lejanas (o menos cercanas), y para refinar la libertad individual en la esfera institucional de las democracias.

De este modo, la filosofía kantiana permite que el pluralismo de las identidades nacionales, tal como mencionábamos con anteriroridad, sea contemplado como un valor que vale la pena proteger, y no como un simple hecho con el que se tiene que vivir. El progreso normativo e institucional hacia «sociedades democráticamente avanzadas»[28] implica, en el caso de sociedades plurinacionales, una mejor acomodación constitucional de las identidades nacionales históricas y territoriales que existen en el estado tanto en la simbología, como en las instituciones y los mecanismos de representación y participación de los diferentes colectivos políticos que conviven en una democracia.[29]

---

26. Este concepto es similar al de la regulación de «protecciones externas» sugerido por Kymlicka (1995).

27. «Pluralizar el pluralismo» incluye tres elementos: 1) la incorporación de los colectivos nacionales marginados en las reglas y derechos constitucionales; 2) la consideración del pluralismo nacional como un valor o un bien, y no simplemente como un hecho; y 3) el establecimiento de soluciones prácticas que tomen en cuenta a los individuos y colectividades que conforman esa pluralidad.

28. La expresión «establecer una sociedad democráticamente avanzada» aparece en el preámbulo de la Constitución española de 1978, junto a referencias claramente estatalistas a un Estado español único, soberano e indivisible.

29. He desarrollado este punto en Requejo, 2001*a*.

Referencias

Archibugi, D. y Held, D. (1995): *Cosmopolitan Democracy*, Cambridge, Polity Press.

Arendt, H. (1993): *Between Past and Future*, Middlesex, Penguin.

Avnon, D. y de-Shalit, A (eds.) (1999): *Liberalism and its Practice*, Londres-Nueva York, Routledge.

Axtmann, R. (1996): *Liberal democracy into the twenty-first century*, Manchester and Nueva York, Manchester University Press.

Caney, S.; George, D. y Jones, P. (eds.) (1996): *National Rights, International Obligations*, Boulder, Westview Press.

Canovan, M. (1996): *Nationhood and political Theory*, Chetelham, Elgar.

Cordell, K (ed.) (1999): *Ethnicity and Democratization in the New Europe*, Londres-Nueva York, Routledge.

Elósegui, M. (1998): *El derecho a la igualdad y a la diferencia*, Madrid, Ministerio de Trabajo y Asuntos Sociales.

Fossas, E. y Requejo, F. (eds.) (1999): *Asimetría Federal y Estado Plurinacional. El debate sobre la acomodación de la diversidad en Canadá, Bélgica y España*, Madrid, Trotta.

Gibbins, J. y Laforest, G. (eds.) (1998): *Beyond the Impasse*, Montreal, Institute for Research in Public Policy.

Gray, J. (2001): *Las dos caras del liberalismo*, Madrid, Alianza.

Habermas, J. (1996a): *Faktizität und Geltung*, Frankfurt, Suhrkamp,

— (1996b): «Vernünftig versus "Wahr" oder die Moral der Weltbilder», *Einbeziehung des Anderen*, Frankfurt, Suhrkamp: 95-127.

— (1994): «Struggles for Recognition in the Democratic Constitutional State», en Ch. Taylor, *Multiculturalism. Examining the politics of recognition*, Princeton University Press.

Hinchman, L. y Hinchman, S. (ed.) (1997): *Memory, Identity, Community. The Idea of Narrative in the Human Sciences*, Nueva York, SUNY Press.

Klosko, G. (1997): «Political Constructivism in Rawls» Political Liberalism», *American Political Science Review*, 91, 3: 635-646.

Kymlicka, K. (1995): *Multicultural Citizenship. A liberal Theory of Minority Rights*, Oxford, Clarendon.

Kymlicka, W. y Norman, W. (eds.) (2000): *Citizenship in Diverse Societies*, Oxford, Oxford University Press.

McCarthy, T. (1994): «Kantian Constructivism and Reconstructivism: Rawls and Habermas» en *Ethics*, 105: 44-63.

McKim, R. y McMahan, J. (eds.) (1997): *The Morality of Nationalism*, Oxford, Oxford University Press.

McRoberts, K. (1997): *Misconceiving Canada: The Struggle for National Unity*, Toronto, Oxford University Press.

Miller, D. (1995): *On Nationality*, Oxford, Clarendon Press.

Mitchell, W. J. T (ed.) (1980): *On Narrative*, Chicago, Chicago University Press.

Nagel, T (1991): *Equality and Partiality*, Nueva York.

Newman, R. (ed.) (1966): *Centuries' Ends, Narrative Means*, Stanford University Press.

Nodia, G. (1992): «National and democracy», *Journal of Democracy*, Baltimore, John Hopkins University Press, 3, 4: 3-22.

Norman, W. (1996): «The Ideology of Shared Values: A myopic Vision of Unity in the Multi-Nation State» en J. Carens (ed.) *Is Quebec Nationalism Just ? Pers-*

pectives from Anglophone Canada, Montreal, McGill-Queen's University Press: 237-259.

Norman, N. y Kymlicka, K. (1994): «Return of the Citizen: A survey of Recent Work on Citizenship Theory», Ethics 104: 352-381.

Parekh, B. (1995): «Liberalism and colonialism: a critique of Locke and Mill» en Nederveen-Parekh (eds.): *The decolonization of imagination*, Londres, Zed Books.

— (1993): «The Cultural particularity of Liberal Democracy» en D. Held (ed.): *Prospects for Democracy*, Polity: 156-175.

Parfit, D. (1984): *Reasons and Persons*, Oxford, Clarendon Press.

Pitkin, H. (1972): *Wittgenstein and Justice. On Significance of Ludwig Wittgenstein for Social and Political Thought*, Berkeley y Los Ángeles, University of California Press.

Pocock, J. G. A. (1985): *Virtue, Commerce and History*, Cambridge, Cambridge University Press.

— (1984): «Verbalising a Political Act», M. Shapiro (ed.) *Language and Politics*, Oxford, Basil Blackwell.

Rawls, J. (1993): *Political Liberalism*, Nueva York, Columbia University Press.

— (1995): «Reply to Habermas», *The Journal of Philosophy*, XCII, 3: 132-180.

Raz, J. (1994): «Multiculturalism: A liberal perspective», *Dissent*, Winter: 67-79.

Requejo, F. (2002): «Federalismo para unos primates... que quieren dejar de serlo», prólogo a M. Caminal, *Federalismo pluralista*, Barcelona, Paidós.

— (2001*a*): «Political Liberalism in Plurinational States. The Legitimacy of Plural and Asymmetrical Federalism», en A. Gagnon-J. Tully (eds.)· *Multinational Democracies*, Cambridge, Cambridge University Press.

— (2001*b*): «Federalism and National Groups», *International Social Sciences Journal*, n. 167 Issue on Federalism: 40-49 (versión francesa: *Revue International des Sciences Socials*, 2001: 43-52).

— (2001*c*): «National Pluralism and Federalism. Four Potential Scenarios for Spanish Plurinational Democracy», *Perspectives on European Politics and Society*, v. 2, 2, August 2001: 305-327.

— (2000): «El liberalismo político en estados plurinacionales: Rawls y Habermas y la legitimidad del federalismo plural», Jean-François Prud'homme (comp.): *Demócratas, Liberales y Republicanos*, México, El Colegio de México.

— (1999*a*): «Cultural Pluralism, Nationalism and Federalism. A revision of Citizenship in Plurinational States», *European Journal of Political Research*, 35, 2:255-286.

— (1999*b*): «La acomodación "federal" de la plurinacionalidad. Democracia liberal y Federalismo Plural en España», en Fossas-Requejo 1999.

— (1999*c*): *Pluralisme nacional y legitimitat democràtica*, Barcelona, Proa.

— (1998*a*): «European Citizenship in Plurinational states. Some limits of Traditional Democratic Theories: Rawls and Habermas», U. Preuss-F. Requejo (eds.): *European Citizenship, Multiculturalism and the State*, Baden-Baden, Nomos, 29-50.

— (1998*b*): *Federalisme, per a què ? L'acomodació de la diversitat en democràcies plurinacionals*, València, Tres i Quatre.

— (1991): *Teoría Crítica y Estado Social. Neokantismo y Socialdemocracia en Jürgen Habermas*, Barcelona, Anthropos.

Resnick, P. (1997): *Twenty-first Century Democracy*, Montreal, McGill-Queen's University Press.

Rorty, R. (1989): *Contingency, Irony and Solidarity*, Cambridge, Cambridge University Press.

— (1997): «Justice as a larger logalty», en Bontekoe, R. y Stepanians, M. (comps.) *Justice and Democracy: Cross-Cultural Perspectives*, Honolulu: University of Hawaï Press.

Searle, J. (1995): *The construction of social reality*, Nueva York, The Free Press.

Skinner, Q. (1991): «Who are "we"? Ambiguities of the Modern Self», *Inquiry*, vol. 34, n.º 2: 133-153.

— (1988): «Language and Social Change» en J. Tully (ed.): *Meaning and Context*, Princeton, Princeton University Press.

Smith, A. (1995): *Nations and Nationalisms in a Global Era*, Cambridge, Polity.

Spinner, J. (1994): *The Boundaries of Citizenship: Race, Ethnicity and Nationality in the Liberal State*, Baltimore, Johns Hopkins University Press.

Stocker, L. (1992): «Interest and Ethics in Politics», *American Political Science Review*, 86: 369-380.

Tamir, Y. (1993): *Liberal Nationalism*, Nueva Jersey, Princeton University Press.

Taylor, Ch. (1992): «The Politics of Recognition», en Amy Gutman (ed.): *Multiculturalism and the Politics of Recognition*, Princeton, Princeton University Press, 25-73.

— (1989): *Sources of the Self: The Making of Modern Identity*, Cambridge, Cambridge University Press.

Tully, T. (1994): *Strange Multiplicity. Constitutionalism in an Age of Diversi y*, Cambridge, Cambridge University Press.

Van der Veen, R. (1999): «The Adjudicating Citizen: On Equal Membership in Walzer's Theory of Justice», *British Journal of Political Science*, 29,2: 225-258.

Walzer, M. (1987): *Interpretation and Social Criticism*, Cambridge, Mass, Harvard University Press.

Williams, B. (1985): *Ethics and the Limits of Philosophy*, Cambridge, Harvard University Press.

Williams, M. (1995): «Justice toward groups», *Political Theory*, 23, 1: 67-91.

Wilmsen, E. y McAllister, P. (eds.) (1996): *The Politics of Difference*, Chicago, The University of Chicago Press.

Yack, B. (1995): «Reconciling Liberalism and Nationalism», *Political Theory*, 23, 1: 166-182.